周作人著作

儿童文学小论

锺叔河——编订

岳麓書社·长沙

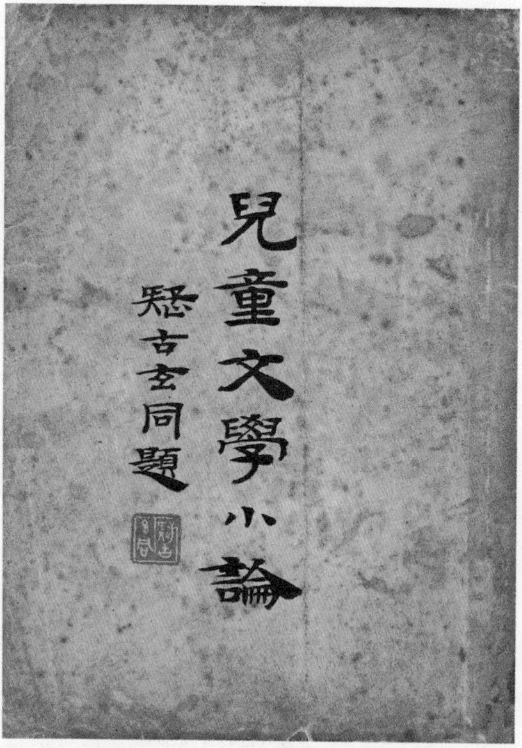

儿童书局本《儿童文学小论》

编者的话

钟叔河

一九八七年一月七日《光明日报》上，岳麓书社刊出了我拟稿的一帧广告（左图），宣布了书社和我对重印周作人著作的观点：

“人归人，文归文。周作人其人的是非功过是另一问题，其书的主要内容是对传统文化和国民性进行反思，对中国—西方和中国—日本的文化历史进行比较研究，今之读者却不可不读。……”

随即便开始出书。既出周作人著作的单行本，也出精装合订本。两年之间，出了二十四种。

书当然不是想出便能出的，得按规矩，走程序。周家授权了，报告批复了，宋木文、杨牧之、伍杰各位领导都当面或来信表示应允和支持了，便能够出了。

出就得出好。当时强调了两条：（一）因为均系据旧本重印，所以一定要认真校订，尽力改正旧本误植失校的错误；（二）因为手稿不存，无法对勘，所以一定要详出校记，改动处一概保留原文，承担责任。

这两条，读者看来大都是认可的。直到如今，在旧书网上，八十年代“岳麓版”的周作人著作，始终都卖得不错。

现在，岳麓书社决定又来重版周作人著作，仍然要我负责编订，做法则一仍其旧。还是这些书，还是这两条，新的广告也就不必再做了。

鄢琨君三十年前和我同编了这些书，此次仍然合作，所有案头工作都是他做，各书重版说明也多是他写的。校记原列表在书末，如今改作尾注。鄢君新增校改之处，标出“鄢校”，特此说明，并志感谢。

二〇一八年五月十五日于长沙。

重版说明

《儿童文学小论》，一九三二年三月上海“儿童书局”初版，有序一篇，收文十一篇。

所收文中，前四篇写于一九一二年至一九一四年，即民国元年至三年。时作者在绍兴，除《童话略论》《童话研究》《古童话释义》《儿歌之研究》这四篇外，还写有《儿童研究导言》《风俗调查》《征求绍兴儿歌童话启》《玩具研究》《儿童问题之初解》等文章。他实在是二十世纪中国最早注意儿童文学和幼儿教育的一人。

后面七篇则《儿童的文学》选自《艺术与生活》，《神话与传说》《歌谣》《儿童的书》选自《自己的园地》，《科学小说》选自《雨天的书》，《吕坤的〈演小儿语〉和《读〈童谣大观〉》选自《谈龙集》；以类相从，也是作者通常的做法。

本社一九八九年六月据儿童书局本校订印行，此次仍依该本加校重版。

目　录

《儿童文学小论》序

张一渠君是我在本省第五中学教书时候的同学。那时是民国二年至六年，六年春季我来北京，以后没有回去过，其时张君早已毕业出去了。十九年冬忽然接到张君来信，说现在上海创办儿童书局，专出儿童一切用书，叫我给他帮忙。这事是我很愿意做的，因为供给儿童读物是现今很切要的工作，我也曾想染指过的，但是教书的职业实在是忙似闲，口头答应了好久，手里老是没有成绩，老实说，实在还未起手。看看二十年便将完了，觉得这样迁延终不是事，便决心来先编一小册子聊以塞责，待过了年再计划别的工作。写信告诉张君，他也答应了，结果是这一册《儿童文学小论》。

这里边所收的共计十一篇。前四篇都是民国二三年所作，是用文言写的。《童话略论》与《研究》写成后没有地方发表，商务印书馆那时出有几册世界童话，我略加以批评，心想那边是未必要的，于是寄给中华书局的《中华教育界》，信里说明是奉送的，只希望他送报一年，大约定价是一块半大洋罢。过了若干天，原稿退回来了，说是不合用。恰巧北京教育部编纂处办一种月刊，便白送给他刊登了事，也就惄不续做了。后来县教育会要出刊物，由我编辑，写了两篇讲童话儿歌的论文，预备补白，不到一年又复改组，我的沉闷的文章不大适合，于是趁此收摊，沉默了有六七年。民国九年北京孔德学校找我讲演，才又来饶舌了一番，就是这第五篇《儿童的文学》。以下六篇都是十一二三年中所写，从这时候起注意儿童文学的人多起来了，专门研究的人也渐出现，比我这宗“三脚猫”的把戏要强得多，所以以后就不写下去了。今年《东方杂志》的友人来索稿，我写了几篇《苦茶随笔》，其中第六则是介绍安特路阑（Andrew Lang）的小文，题名《习俗与神话》，预计登在三月号的《东方》之后再收到这小册里去，不意上海变作，闸北毁于兵火，好几篇随笔都不存稿，也无从追录，只好就是这样算了。

我所写的这些文章里缺点很多，这理由是很简单明显的，要研究讨论儿童文学的问题，必须关于人类学民俗学儿童学等有相当的修养，而我于此差不多是一个白丁，乡土语称作白木的就是，怎么能行呢？两年前我曾介绍自己说："他原是水师出身，自己知道并非文人，更不是学者，他的工作只是打杂，砍柴打水扫地一类的工作，如关于歌谣童话神话民俗的搜寻，东欧日本希腊文艺的移译，都高兴来帮一手，但这在真是缺少人工时才行，如各门已有了专攻的人，他就只得溜了出来，另去做扫地砍柴的勾当去了。"所以这些东西就是那么一回事，本没有什么结集的价值，夫日月出矣而爝火不息，其于光也不亦难乎，这个道理我未尝不知道。然而中国的事情有许多是出于意外的。这几篇文章虽然浅薄，但是根据人类学派的学说来看神话的意义，根据儿童心理学来讲童话的应用，这个方向总是不错的，在现今的儿童文学界还不无用处。中国是个奇怪的国度，主张不定，反复循环，在提倡儿童本位的文学之后会有读经——把某派经典装进儿歌童谣里去的运动发生，这与私塾读《大学》《中庸》有什么区别。所以我相信这册小书即在现今也还有他的用处，我敢真诚地供献给真实地顾虑儿童的福利之父师们。这是我汇刊此书的主要目的，至于敝帚自珍，以及应酬张君索稿的雅意，那实在还是其次了。

民国二十一年二月十五日，于北平。

童话略论

一　绪言

儿童教育与童话之关系，近已少少有人论及，顾不揣其本而齐其末，鲜有不误者。童话研究当以民俗学为据，探讨其本原，更益以儿童学，以定其应用之范围，乃为得之。聊举所知，以与留意斯事者一商兑焉。

二　童话之起源

童话（Märchen）本质与神话（Mythos）世说（Saga）实为一体。上古之时，宗教初萌，民皆拜物，其教以为天下万物各有生气，故天神地祇，物魅人鬼，皆有定作，不异生人，本其时之信仰，演为故事，而神话兴焉。其次亦述神人之事，为众所信，但尊而不威，敬而不畏者，则为世说。童话者，与此同物，但意主传奇，其时代人地皆无定名，以供娱乐为主，是其区别。盖约言之，神话者原人之宗教，世说者其历史，而童话则其文学也。

故有同一传说，在甲地为神话者，在乙地则降为童话，大抵随文化之变而为转移，故童话者不过神话世说之一支，其流行区域非仅限于儿童，特在文明之国，古风益替，此种传说多为儿童所喜，因得借以保存。然在农民社会流行亦广，以其心理单纯，同于小儿，与原始思想合也。或乃谓童话起原由于儿童好奇多问，大人造作故事以应其求，则是望文生义，无当于正解也。

三　童话之分类

童话大要可分为二部：

（一）纯正童话，即从世说出者，中分二类。

甲　代表思想者。多以天然物为主，出诸想像，备极灵怪，如变形复活等式皆是。又物源童话，说明事物原始，如猿何以无尾亦属之。

乙　代表习俗者。多以人事为主，亦极怪幻，在今日视若荒唐，而实根于原人之礼俗。如食人掠女诸式童话属之。

（二）游戏童话，非出于世说，但以娱悦为用者，中分三类。

甲 动物谈。模写动物习性动作，如狐之狡，狼之贪，各因其本色以成故事。

乙 笑话。多写人之愚钝刺谬，以供哄笑，如后世谐曲，越中有呆女婿故事，其说甚多。

丙 复叠故事。历述各事，或反复重说，渐益引长，初无义旨，而儿童甚好之，如英国 *That is the House Jack built* 最有名，是盖介于儿歌与童话之间者，顾在乡村农民亦或乐此，则固未能谓纯属于儿童也。

四 童话之解释

童话取材既多怪异，叙述复单简，率尔一读，莫明其恉，古人遂以为荒唐之言，无足稽考，或又附会道德，以为外假谰言，中寓微旨，如英人之培庚，即其一人。近世德人缪勒（Max Müller）欲以语病说解之，亦卒不可通。英有安特路阑（Andrew Lang）始以人类学法治比较神话学，于是世说童话乃得真解。其意以为今人读童话不能解其意，然考其源流来自上古，又旁征蛮地，则土人传说亦有类似，可知童话本意，今人虽不能知，而古人知之；文明人虽不能知，而野人知之。今考野人宗教礼俗，率与其所有世说童话中事迹两相吻合，故知童话解释不难于人类学中求而得之，盖举凡神话世说以至童话，皆不外于用以表见原人之思想与其习俗者也。

今如变形之事，童话中多有之。人兽易形，木石能言，事若甚奇，然在野人则笃信精灵，人禽木石，同具精气，形躯但为寄托之所，随意变化，正复当然，不足为异。他若杀人而食，掠女为妻，在野蛮社会中亦习见之事。童话又言帝王多近儿戏，王子牧豕于野，行人叩门，则王自倒屣启关，是亦非故为简单，求合于童心也，实则在酋长制度之下，其所谓元首之尊严，正亦不过尔尔。明于此，斯童话之解释不难了然矣。

五　童话之变迁

童话中事实既与民族思想及习俗相合，在当时人心固了不以为诡异。及文化上遂，旧俗渐革，唯在传说之中尚存踪迹，而时代逴远，忘其往昔，则以为异俗惊人，率加粉饰，遂至渐失本真，唯推原见始，犹不难知。童话中食人之习，其初本人自相食，渐变而为物魅，终复改为猛兽。又如物婚式童话，初为以兽偶人，次为物魅能幻为人者，终为本是生人，而以魔术诃禁，暂见兽形，复得解脱者。凡此皆应时饰意，以免骇俗，变迁之迹，至为显著者也。

故童话者，本于原始宗教以及相关之习俗以成，顾时代既遥，亦因自然生诸变化。如放逸之思想，怪恶之习俗，或凶残丑恶之事实，与当代人心相抵触者，自就删汰，以成新式。今之以童话教儿童者，多取材于传说，述而不作，但删繁去秽，期合于用，即本此意，贤于率意造作者远矣。

六　童话之应用

童话应用于教育，今世论者多称有益，顾所主张亦人人殊。今第本私意，以为童话有用于儿童教育者，约有三端。

（一）童话者，原人之文学，亦即儿童之文学，以个体发生与系统发生同序，故二者感情趣味约略相同。今以童话语儿童，既足以厌其喜闻故事之要求，且得顺应自然，助长发达，使各期之儿童得保其自然之本相，按程而进，正蒙养之最要义也。

（二）凡童话适用，以幼儿期为最，计自三岁至十岁止。其时小儿最富空想，童话内容正与相合，用以长养其想像，使即于繁富，感受之力亦渐敏疾，为后日问学之基。

（三）童话叙社会生活，大致略具，而悉化为单纯，儿童闻之，能了知人事大概，为将来入世之资。

又所言事物及鸟兽草木，皆所习见，多识名物，亦有裨诵习也。

以上三端，皆其显者，若寄寓训戒，犹为其次。德国学者以狼与七小羊（《格林童话集》第五篇）一话教母子相依之谊，不过假童话本事引起儿童注意，暗示其理，若寓言之用，亦正在令人意会。后缀格言，犹为蛇足，以敷陈道理，非数岁儿童所能领解，兴趣又复索然，且将失其本来之价值也。

七　童话之评骘

民族童话大抵优劣杂出，不尽合于教育之用，当决择取之。今举其应具之点，约有数端：

（一）优美。以艺术论童话，则美为重，但其美不在藻饰而重自然，若造作附会，则趣味为之杀，而俗恶者更无论矣。

（二）新奇。此点凡天然童话大抵有之。

（三）单纯。单纯原为童话固有之德，其合于儿童心理者亦以此，如结构之单纯，脚色之单纯（人地皆无定名），叙述之单纯，皆其特色。若事情复杂，敷叙冗长，又寄意深奥，则甚所忌也。

（四）匀齐。谓段落整饬，无所偏倚。若次序凌乱，首尾不称，皆所不取。故或多用楔子，以足篇幅，徒见杂糅，无所益也。

中国童话未经搜集，今所有者，出于传译。有《大拇指》及《玻璃鞋》为佳，以其系纯正童话。《无猫国》盛行于英，但犹《今古奇观》中“洞庭红”故事，实世说之流也。《大拇指》各国均有传说，格林（Grimm）童话集中第三十七及五十皆其一则，英国所传以市本（Chap-book）中所出一本为胜，多滑稽之趣。《玻璃鞋》者通称灰娘（Cinderella），其事皆根于上古礼俗，颇耐探讨，今所通用以法Perault所述本为最佳，华译删易过多，致失其意，如瓜车鼠马，托之梦中，老婆亦突然而来，线索不接，执鞋求妇，不与失履相应，则后之适合为无因，殊病支离也。此外中国史实，本非童话，但足演为传记故事，以供少年期之求。若陶朱公事，世故人情阅历甚深，顾幼儿不能解，且其气分郁塞，无愉快之气，亦非童话之所宜也。

八　人为童话

天然童话亦称民族童话，其对则有人为童话，亦言艺术童话也。天然童话者，自然而成，具种人之特色，人为童话则由文人著作，具其个人之特色，适于年长之儿童，故各国多有之。但著作童话，其事甚难，非熟通儿童心理者不能试，非自具儿童心理者不能善也。今欧土人为童话唯丹麦安兑尔然（Anderson）为最工，即因其天性自然，行年七十，不改童心，故能如此，自郐以下皆无讥矣。故今用人为童话者，亦多以安氏为限，他若美之诃森（Hawthorne）等，其所著作大抵复述古代神话，加以润色而已。

九　结论

上来所述，已略明童话之性质，及应用于儿童教育之要点，今总括之，则治教育童话，一当证诸民俗学，否则不成为童话，二当证诸儿童学，否则不合于教育，且欲治教育童话者，不可不自纯粹童话入手，此所以于起原及解释不可不三致意，以求其初步不误者也。

童话研究

一

童话（Märchen）之源，盖出于世说（Saga），惟世说载事，信如固有，时地人物，咸具定名，童话则漠然无所指尺，此其大别也。生民之初，未有文史，而人知渐启，监于自然之神化，人事之繁变，辄复综所征受，作为神话世说，寄其印感。迨教化迭嬗，信守亦移，传说转昧，流为童话。征诸上国，大较如是，而荒服野人，闻异邦童话，则恒附以神人之名，录为世说用之。二者之间，本无大埂，惟以化俗之殊，乃生转移而已。

故今言童话，不能不兼及世说，而其本原解释则当于比较神话学求之。自文教大敷，群俗悉革，及今而闻在昔之谭，已谊与时湮，莫得通释。西方学者多比附事实，或寻绎语源，求通其指，而涂附之说，适长歧误。及英人安特路阑出，以人类学法为之比量。古说荒唐，今昧其意，然绝域野人，独能领会，征其礼俗，诡异相类，取以印证，一一弥合，乃知神话真诠，原本风习，今所谓无稽之言，其在当时，乃实文明之信史也。

原始文明之见于神话者，大较二本。一本于思想，一本于制度，二者亦复交互出入。原人之教多为精灵信仰（Animism），意谓人禽木石皆秉生气，形躯虽异，而精魂无间，能自出入，附形而止，由是推衍，生神话之变形式。人兽一视，而物力尤暴，怨可为敌，恩可为亲，因生兽友及物婚式。崇兽为祖，立图滕之制，其法不食同宗之兽，同徽为妃，法为不敬，男子必外婚，以劫夺[①]为礼，因生盗女式。复次，形神分立，故躯体虽殒，招魂可活，因生回生式，而藏魂及生死符诸式隶之。又以联念作用，虚实相接，斯有感应魔术，能以分及全，诅爪发呼名氏而贼其身，因生禁名式。传家以幼，位在灶下，因生季子式。异族相食，因生食人式，用人祭鬼，亦多有之。以上所言，皆其荦荦大者，足见一例，若详细疏引，则更仆不能尽也。

又如童话（及在世说中[②]）言帝王之事，虽状至尊严，而躬亲操作，不异常人。希腊史诗《阿迭塞亚》(*Odysseia*)记王与牧人为友，门前即为豕苙。阿迭修思至代该亚之岛，则见王女浣衣河干。格林所集童话，亦有云，昔在此乡，有小王数人，散居山陂间。依此数例，部落遗风，约略可见，所谓王者实即酋长，且王女下嫁，及于厮养，位不传子而归赘婿，斯与母统时代婚姻嗣续之法，正相合也。

凡童话言男子求婚，往往先历诸难而后得之，末复罗列群女，状貌如一，使自辨别。今世亦故有此习，匈加利乡曲婚夕，新妇偕二女伴匿帷后，令男子中之，法国罗梭之地亦然，马来埃及苏鲁诸国皆有此俗。其意本非相难，但故为迷乱，俾不得猝辨。盖古人初旨，男女姘合，谊至神秘，故作此诸仪式，以禳不若。如今欧俗新妇成礼，多从女伴，正其遗风，越中亦犹有伴姑之名。

又童话多言劫女事，则上古盗婚之遗。所言皆具人形，而非异物，故与物婚式殊类。其人率为巨人，或枳首一目而止，日耳曼童话多言侏儒，法英诸邦则有地中人曰咈黎(Faerie)，爱尔兰人讳其名曰善人，皆能取人间子女，顾案其实，乃不过昔之胜民，或为异族。希腊诃美洛斯(Homeros，或译荷马)诗中有赖尸屈列刚，居夜半日出之地者，实北欧之先民也。盖异族逼处，各怀畏心，而胜民窜迹于深密之地，状至委琐，洎夫时异境迁，记忆转晦，传说古事，但存仿佛，故强者有若巨人，弱者有若侏儒，附会神怪，爰成此说。中国童话虽鲜有此，然《山经》所记多有三身一臂之民，亦此意也。

二

今将就中国童话，少加证释，以为实例。第久经散逸，又复无人采辑，几将荡然，故今兹所及，但以儿时所闻者为主，虽止一二丛残之作，又限于越地，深恨阙漏，然不得已，尚期他日广搜遍集，更治理之耳。

越童话有《蛇郎》者，略云：樵人有三女，一日入山，问女所欲，幼者乞得鲜花一枝。樵方折华，乃遇蛇郎，言当以一女见妻，否则相噬。季女请往，他日其姊造访，妒其富美，诱使窥池，溺而杀之，自以身代。女死化为鸟（越俗名清水鸟，多就清水池取虫蛆为食），哀鸣树间，姊复杀之（一作溺泔水缸中死之），埋诸园中，因生枣木。蛇郎食之，其实甚甘，姊若取啖，皆化毛虫，乃伐以为灶下榻。蛇郎用之甚适，姊坐辄蹶，又碎而然之，木乃暴裂，中姊之目，遂矐（一作火发烂姊手遂废）。

案此犹欧洲童话之“美人[3]与兽”一类，所谓物婚式也。蛮荒之民，人兽等视，长蛇封豕，特人之甲而毛者，本非异物，故昏媾可通，况图滕之谊方在民心，则于物婚之事，纵不谓能见之当世，若曰古昔有之，斯乃深信不疑者也。东方之俗，有凭托术数，以人配鸟或树，用为诃禁者，如印度人所为，谓能厌丧偶，正古风之留遗也。

物婚式童话最为近纯，其中兽偶，皆信为异类。北美土人传说，多有妇人与蛇为匹，极地居人亦言女嫁蝘蜓事，其关于图滕起原者传说尤众。中国所传盘瓠之民，即其一例。迨及后世，渐见修饰，则其物能变形为人，或本为人类而为魔术所制者，西方“美人与兽”之说，为其第三类，盖其初为物，次为物魅，又次为人，变化之迹，大较如此也。

此式童话中，多具折华一节，盖亦属于禁制(Tabu)，又以草木万物皆有精灵，妄肆摧折，会遭其怒，故野人获兽，必祝其鬼，或诿咎于弓矢，伐木则折枝插地，代其居宅，俾游魂有依，不为厉也，于此仿佛可见遗意。

化鸟一节，多见之故妻式童话中，大都由人以术化女为鸟或鱼鹿等，而自代之，其人率为妖巫，或为后母，或为女姊。鸟自鸣冤，复得解脱，置罪人于法。新希腊一说，有奴溺女于井，化而为鳝，奴伪为主妇，取鳝杀之，弃骨园中，化为柠檬，复伐作薪，木语老仆，以株击上下，女得更生。此与回生式中埃及之兄弟传说近似，惟男女易性而已。

易女之事，亦可以实例明之。原民婚礼，夫妇幽会，不及明而别，至生子乃始相见，欧土乡曲亦有新婚之夕不相觌面者，中国新妇之绛巾，亦其遗意。童话中如希腊之《爱与心》（见亚普刘思著《变形记》卷四至六）亦言女不守约，中夜然火窥夫，遂即离散，所谓破禁式者，即由此意。由是推引，故合昏既久而中道代易，弗及觉察，正为常事。蛇郎以姊大足而面多瘢痕为怪，姊诡言由于操作及枕麻袋故尔，则殆后世夸饰。盖世说之初，以宗教族类之关系，务主保守，故少变易，迨为童话，威严已去，且文化转变，本谊渐晦，则率加以润色，肆意增削缘附以为诠释，此童话分子之所以杂糅也。

童话述兄弟或姊妹共举一事，少者恒成，或独贤良，说者谓长兄既先尝试，相继败绩，终及少子，故必成事，此或行文之法使尔。然征诸史事，乃别有故。欧洲中世有所谓季子权者，法以末子传家，无子则传末女，英国十三世纪时犹有行者，东方鞑靼诸族亦有此制。论者谓诸子既长，出为公民，不复数为家人，故以幼子承业，若人情之爱少子，盖亦为之傅助，以成此俗，今遗迹之见于童话者，人称季女式（或季子式），《蛇郎》亦其一也。

国民传说虽与民歌异格，而杂用韵语者亦多有之。盖叙说之中，意有特重，则出以歌吟。如蛇郎欲得樵人女，长姊皆不可，季曰，不可吞爹吃，宁可嫁蛇郎，是也。此他尚有数语，皆为其例，亦有方言未见正字，而精意所在，不可移易，但应疏注而存之者，此采录童话者所应将意也。

三

又有《老虎外婆》者，略云：母有二女，一日宁家，因止宿焉。夕有虎至，伪言母归，及夜共卧，即杀幼女食之。长女闻声询其何作，曰方食鸡骨头糕干也，女乞分啖，乃掷一指予之。女惧谋逸，诡言欲溲，便命溺被中，女诿以被冷，乃索足带牵之，女以带端系溺器盖上，登树匿。虎曳带不见有人，乞猿往捕，猿堕地死，卒不能得。（江西一说为猩猩，而无使猿捕女事。）

案此为食人式之一例。希腊史诗言阿迭修斯[④]遇圜目之民，其事最著。异族相食，本于蛮荒习俗，人所共知，其原由于食俭，或雪愤报仇。又因感应魔术，以为食其肉者并有其德，故敢啖之，冀分死者之勇气，今日本俗谓妊娠者食兔肉令子唇缺（《博物志[5]》亦云），越俗亦谓食羊蹄者令足健，食羊睛可以愈目疾，犹有此意也。

童话中食人者多为厉鬼，或为神自吞其子，今所举者则为妖巫类。上古之时，用人以祭，而巫觋承其事，逮后淫祀虽废，传说终存，遂以食人之恶德属于巫师（食人之国，祭后巫医酋长分胙，各得佳肉），故今之妖媪，实古昔地母之女巫，欧洲中世犹信是说，谓老妪窃食小儿，捕得辄焚杀之，与童话所言，可相印证。俄国童话则别称巴巴耶迦（Baba yaga），居鸡脚舍中，日本曰山姥，亦云山母，皆为丑媪，未尝异人，老虎外婆正亦此类，惟以奇俗骇人，因傅兽名，殆非原谊。越中一说有称野扁婆者，未详其意，但亦人类，不言有毛。老虎外婆中言女欲秉火出迎，虎止勿须，坐瓮上，藏其尾，又卧时女怪其毛毵毵然，虎以被裘自解，恐皆后出，以为前言文饰者也。

日本肥后天草岛亦有一说，言有三子，名豆大豆次豆三。山姥入其家，夜取豆三啖之。问何声响，答曰食泽庵渍芦菔也。又索食，亦予一指。二人思遁，豆次言欲溺，山姥令溺庭间（方言谓室中泥地），曰恐为庭神所怒，遂得脱，匿井边桃树上。山姥窥水见影，追之，坠地而死。其后又言坠处适在荞麦田中，流血渍麦，故荞麦之壳至今赤色，则转为物原传说，但论大体与老虎外婆甚肖，虑非孤生也。山姥而外，犹有山男山女诸名，然皆不为害，其食人者，惟妖鬼与媪而已（北欧俗忌晨出遇老妪以为不祥）。

国民传说，原始之时类甚简单，大抵限于一事，后渐集数式为一，虽中心同意，而首尾离合，故极其繁变，如上举二式，同为食人，节目亦近，而终乃变异，一为物原传说，一为动物故事，可以见矣。老虎外婆令猿追女，猿以绳绕颈，缘树而上，女惶迫溺下，猿呼热，虎误解为曳（热曳越音相近），即曳其绳，猿遂缢死，其结束重在猿虎因缘，与《老虎怕漏》同，此特多滑稽之趣而已。

《老虎怕漏》者，有虎入人家，闻二人言，甲云虎可畏，乙云漏尤可畏。时方有盗马者来，见虎误为马，跨之而去。虎以为漏也，亦大惧，天明始知。盗避树上，虎偕猿来，亦不胜而死。日本大隅传说，与此相同，惟云主人见虎误为马逸，追之入山，闻败庙中有声，探得猿尾，力拔之，尾绝，故今猿皆赤臀。童话中猿虎事常相因，《老虎外婆》篇中饰人为虎，因袭屋漏中猿事入之，虑非其所故有者也。

以上所言，但就一二越中童话，少加解绎，以为一例。传说残阙，鲜可征对，但据一见以为听断，荒落之处，盖无可免。其次，童话亦函动物故事（略如寓言而不必含有义训者）笑谈（如越中所传呆女婿故事）诸体，第其本事非根民俗，无待征证而后明憭，故不具论。又若世说，当别考索，兹亦不及也。

四

依人类学法研究童话，其用在探讨民俗，阐章史事，而传说本谊亦得发明，若更以文史家言治童话者，当于文章原起亦得会益。盖童话者（兼世说）原人之文学，茫昧初觉，与自然接，忽有感婴，是非畏懔即为赞叹，本是印象，发为言词，无间雅乱，或当祭典，用以宣诵先德，或会闲暇，因以道说异闻，以[6]及妇孺相娱，乐师所唱，虽庄愉不同，而为心声所寄，乃无有异。外景所临，中怀自应，力求表见，有不能自已者，此固人类之同然，而艺文真谛亦即在是，故探文章之源者，当于童话民歌求解说也。

民歌（Ballade）者盖与童话同质，特著以韵言，便于歌吟，其变则有史诗(Epos)，犹世说之与童话，四者类似而复差别，介其间者曰歌传（Cante fable），歌谣陈说互相间隔（中国所行市本仿佛似之，又传奇院本起原疑亦与此相关）。殆童话之中，多入韵语，或民歌转变，将为散文而未成者也。史诗世说，大都篇章长广，词旨庄重，所叙率神祇帝王及古英雄事迹（亦有说山川城塞诸故事者），上古王侯长老之所信守（神话学上称高级神话）。民歌童话则皆简短，记志物事，飘忽无主，齐民皆得享乐，为怡悦之资（称亚级神话）。其在文学，则一为古之史册，一为古之诗词，后世著作皆承此出。今之文史，于各国史诗及北方世说，加以论录，而其馀盖阙，近世乃有征引民歌以明诗之本原者，其在童话正无所异，或称之为小说之胚胎，殆至当也。

童话取材大旨同一，而以山川风土国俗民情之异，乃令华朴自殊，各含其英，发为文学，亦复如此，可一一读而识之。如爱兰童话，率美艳幽怪，富于神思，斯拉夫居阴寒之地，所言深于迷信，憯烈可怖，与南方法伊之国多婉冶之思者殊矣。东方思想秾郁而夸诞，传叙故极曼衍，如《一千一夜》（通俗称为《天方夜谈》）之书可见。多岛海童话亦优美多诗味，马达斯加所传，特极冗长，在虾夷澳洲诸族，则以简洁胜，莽民及蔼思吉摩文化疏末，犹近古石器时代，凡所著述亦最近自然。日本文教虽承中国之流，而其民爱物色，多美感，洒脱清丽，故童话亦幽美可赏，胜于华土，与他艺术同也。

童话作于洪古，及今读者已昧其指归，而野人独得欣赏。其在上国，凡乡曲居民及儿童辈亦犹喜闻之，宅境虽殊而精神未违，因得仿佛通其意趣。故童话者亦谓儿童之文学。今世学者主张多欲用之教育，商兑之言，扬抑未定：扬之者以为表发因缘，可以辅德政，论列动植，可以知生象；抑之者又谓荒唐之言，恐将增长迷误，若姑妄言之，则无异诏之以面谩。顾二者言有正负，而于童话正谊，皆未为得也。

盖凡欲以童话为教育者，当勿忘童话为物亦艺术之一，其作用之范围，当比论他艺术而断之，其与教本，区以别矣。故童话者，其能在表见，所希在享受，撄激心灵，令起追求以上遂也。其[7]馀效益，皆属[8]副支，本末失正，斯昧其义。有若传奇，亦艺文之一，以其景写人生，故可假以讨论世故（即社会剧），或以扬榷国闻，然必首具文德，乃始可贵，不然则但得比于常谈，盖喻道益智，未为尽文章之能事也。

童话之用，见于教育者，为能长养儿童之想像，日即繁富，感受之力亦益聪疾，使在后日能欣赏艺文，即以此为之始基。人事繁变，非儿童所能会通，童话所言社会生活，大旨都具，而特化以单纯，观察之方亦至简直，故闻其事即得憭知人生大意，为入世之资。且童话多及神怪，并超逸自然不可思议之事，是令儿童穆然深思，起宗教思想，盖个体发生与系统发生同序，儿童之宗教亦犹原人，始于精灵信仰，渐自推移，以至神道，若或自迷执，或得超脱，则但视性习之差，自定其趋。又如童话所言实物，多系习见，用以教示儿童，使多识名言，则有益于诵习，且以多述鸟兽草木之事，因与天物相亲，而知自然之大且美，斯皆效用之显见者也。

又童话于人地时三者皆无限制，且不著撰述名字，凡所论述，悉本客观，于童蒙之心正相遥应。逮知虑渐周，能于文字之中领略著者特性，则有人为童话（与自然童话对）承其乏，如丹麦安兑尔然所著，或葺补旧闻，或抽发新绪，凡经陶冶，皆各浑成，而个性自在，见于行间，盖以童话而接于醇诗者，故可贵也。

综上所言，足知童话者，幼稚时代之文学，故原[9]人所好，幼儿亦好之，以其思想感情同其准也。今之教者，当本儿童心理发达之序，即以所固有之文学（儿歌童话等）为之解喻，所以启发其性灵，使顺应自然，发达具足，然后进以道德宗信深密之教，使自体会，以择所趋，固未为晚。若入学之初，即以陈言奥义课六七岁之孺子，则非特弗克受解，而聪明知力不得其用，亦将就于废塞，日后诱掖，更益艰难。逆性之教育，非今日所宜有也。

中国童话自昔有之，越中人家皆以是娱小儿，乡村之间尤多存者，第未尝有人采录，任之散逸。近世俗化流行，古风衰歇，长者希复言之，稚子亦遂鲜有知之者。循是以往，不及一世，澌没将尽，收拾之功，能无急急也。格林之功绩，弗勒贝尔（Fröbel）之学说，出世既六十年，影响遍于全宇，而独遗于华土，抑何相见之晚欤？

【锺校】

①“夺”原作“挩”。

②“及在世说中”原为“及世说在中”，今乙正。

③原无“人”字，今增，下同。

④“修斯”二字原倒错，今乙正。

⑤“志”原作“去”。

⑥“以”原作“已”。

⑦“其”原作“是”。

⑧原无“属”字，今增。

⑨“原”原作“成”。

古童话释义

中国自昔无童话之目，近始有坊本流行，商务童话第十四篇《玻璃鞋》发端云，“《无猫国》是诸君的第一本童话，在六年前刚才发现，从此诸君始识得讲故事的朋友。《无猫国》要算中国第一本童话，然世界上第一本童话要推这本《玻璃鞋》，在四千年前已出现于埃及国内”云云，实乃不然。中国虽古无童话之名，然实固有成文之童话，见晋唐小说，特多归诸志怪之中，莫为辨别耳。今略举数例，附以解说，俾知其本来意旨，与荒唐造作之言，固自有别。用童话者，当上采古籍之遗留，下集口碑所传道，次更远求异文，补其缺少，庶为富足，然而非所可望于并代矣。

其一　吴洞

南人相传，秦汉间有洞主吴氏，土人呼为吴

洞。娶两妻。一妻卒，有女名叶限，少慧，善淘[1]金，父爱之。未几父卒，为后母所苦，常令樵险汲深。时尝得一鳞，二寸馀，赪鳍金目，遂潜养于盆水，日日长，易数器，大不能受，乃投于后池中。女所得馀食辄沉以食之。女至池，鱼必露首枕岸，他人至不复出。其母知之，每伺之，鱼未尝见也。因诈女曰："尔无劳乎，吾为尔新其襦。"乃易其敝[2]衣，令汲于他泉，计里数里也。母徐衣其女衣，袖利刃，行向池呼鱼，鱼即出首，即斤杀之。鱼已长尺馀，膳其肉，味倍常鱼，藏其骨于郁栖之下。逾日，女至向池，不复见鱼矣，乃哭于野。忽有人披发粗衣，自天而降，慰女曰："尔无哭，尔母杀尔鱼矣，骨在粪下，尔归可取鱼骨，藏于室，所须第祈之，当随尔也。"女用其言，金玑衣食随欲而具。及洞节，母往，令女守庭果。女伺母行远，亦往，衣翠纺上衣，蹑金履。母所生女认之，谓母曰："此甚似姊也。"母亦疑之，女觉，遽反，遂遗一只履，为洞人所得。母归，但见女抱庭树眠，亦不之虑。其洞邻海岛，岛中有国名陀汗，兵强，王数十岛，水界数千里。洞人遂货其履于陀汗国。国主得之，命其左右履之，足小者履减一寸，乃令一国妇人履之，竟无一称者。其轻如毛，履石无声。陀汗王意其洞人以非道得之，遂禁锢而拷掠之，竟不知所从来。乃以是履弃之于道旁，即遍历人家捕之，若有女履者，捕之以告。陀汗王怪之，乃搜其室，得叶限，令履之而信。叶限因衣翠纺衣，蹑履而进，色若天人也。始具事于王，载鱼骨与叶限俱还国。其母及女即为飞石击死，洞人哀之，埋于石坑，命曰“懊女冢”。洞人以为禖祀，求女必应。陀汗王至国，以叶限为上妇。一年，王贪求，祈于鱼骨，宝玉无限。逾年，不复应，王乃葬鱼骨于海岸，用珠百斛藏之，以金为际。至征卒叛时，将发以赡军，一夕为海潮所沦。成式旧家人李士元所说，士元本邕州洞中人，多记得南中怪事。

按右《支诺皋》所载，在世界童话中属灰娘式。坊本《玻璃鞋》即其一种，辛特利者译言灰娘，今叶限之名谊虽不详，然其本末则合一也。中国童话当以此为最早。埃及传说今存者八篇，未见此事。二世纪时埃利阿诺著史，中曾言希腊妓罗陀比思浴川中，其屦为鹰衔去，坠埃及王怀中，物色得之为妃，略近似耳。今世流传本始为法人贝洛尔所录，在十七世时，故柯古此篇应推首唱也。

此类童话中，恒有一物阴为女助，如牛马鸟蛇等，今则为一鱼。在蛮荒传说，其物即为女母，或母死后所化，或墓上物，盖太初信仰，物我等视，异类相偶，常见其说，灵魂不灭，易形复活，不昧前因，佑其后世，此第二说之所本也。逮文化渐进，以异闻骇俗，则为之删改，如德国灰娘中，女以母墓木上白鸽之助，得诸衣饰，法国为女之教母，乃神女也。《玻璃鞋》本其说而线索中脱，乃觉兀突。吴洞之鱼当为母所化，观后母之刻意谋杀可见，否者或以图滕意谊，与死者有神秘之关系，而原本缺之，殆前传闻异词之故欤。

执履求女，各本皆同，其履或丝或金，或为玻璃，亦有以金环或一缕发为证，物色得之者。感应魔术有以分及全之法，凡得人一物者，即得有其一身，故生此式。又其发者以表颜色之美，其环或履者以表手足之美，初无所异，埃及王得履，令求主者，曰屐主必美妇人，以有是美足也。吴洞述求女及禁治洞人，又祈鱼骨等，事较繁细，盖传说交错，非粹纯童话，当系本土世说，而柯古杂述之者耳。

其二　旁㐌

新罗国有第一贵族金哥，其远祖名旁㐌。有

弟一人，甚有家财，其兄旁㐌因分居，乞衣食。国人有与其隙地一亩，乃求蚕谷种于弟，弟蒸而与之，㐌不知也。至蚕时，有一蚕生焉，日长寸馀，居旬大如牛，食数树叶不足，其弟知之，伺间杀其蚕。经日四方百里内蚕飞集其家。国人谓之巨蚕，意其蚕之王也，四邻共缫之不尽。谷唯一茎植焉，其穗长尺馀，旁㐌守之，忽为鸟所折衔去。旁㐌逐之，上山五六里，鸟入一石罅。日没径黑，旁㐌因止石侧。至夜半月明，见群小儿赤衣共戏，一小儿云，尔要何物。一曰，要酒。小儿露一金锥子击石，酒及尊悉具。一曰，要食。又击之，饼饵羹炙罗于石上。良久，饮食而散，以金锥插于石罅。旁㐌大喜，取其锥而还，所欲随击而办，因是富侔国力，常以珠玑赡[3]其弟。弟方始悔其前所欺蚕谷事，仍谓旁㐌试以蚕[4]谷欺我，我或如兄得金锥也。旁㐌知其愚，谕之不及，乃如其言。弟蚕之，止得一蚕，如常蚕。谷种之，复一茎植焉，将熟，亦为鸟所衔。其弟大悦，随之入山，至鸟入处，遇群鬼怒曰："是窃余金锥者。"乃执之，谓曰："尔欲为我筑糠三板乎，欲尔鼻长一丈乎？"其弟请筑糠三板，三日饥困不成，求哀于鬼，乃拔其鼻，鼻如象而归。国人怪而聚观之，惭恚而卒。其后，子孙戏击锥求狼粪，因雷震，锥失所在。

右亦《支诺皋》所载，此类童话多出一型，大抵一人得利，他人从而效之，乃至失败，颇有滑稽之趣。日本童话有《舌切雀》，言翁媪畜一雀，一日雀食浆衣粉糊，媪剪其舌斥之去，翁归往寻之，至雀居，大见款待，临行以葛笼为赠，翁择其轻者，中皆珍宝。媪欣羡亦往，负重者归，半途笼启，妖魔悉出，惊恐逃回，改行为善。此他又有《花笑翁》及《瘤取》皆近似，而《瘤取》一篇尤妙。有翁病瘤，入山樵采，遇大风雨，匿树穴中，及雨霁忽闻人声，有鬼方酒宴，翁为所见，出而跳舞，鬼大悦，命次日更来，取其瘤为质。邻翁亦有瘤，明日往舞甚拙，鬼怒，以瘤加其颊，乃负两瘤而归。与旁㐌弟之鼻长一丈，皆多谐趣，可相仿佛也。

越中童话亦有《雀折足》一篇云，有媪见雀折足坠地，养之及愈纵去。雀衔南瓜子一粒来，媪种之，结一瓜，剖之皆黄金。邻媪折雀足，亦养之，雀报以瓜子，亦得一实，内乃粪秽。仿佛有彰善瘅恶之思，意东亚受佛教影响[5]，故为独多，如衔环赠珠之类，见诸传记。欧洲亦有此式童话，大抵用诸季女式中，鲜有以翁媪作主人者，或亦因思想之异，东方固多趣于消极欤？

旁㐌金锥为民俗中习见之物，中国俗信如意聚宝盆，正其著例。儿时闻童话，有石臼，投物其中，越夕辄满。一夕邻妇误以鸡笼置臼上，粪屑坠落，次日臼满鸡粪，后遂不验。各国传说，或案或磨或箱不一，率能随意取物，用之不竭，盖原人所求首在衣食，而得滋不易，自尔生此思想。日本财神大黑天手持小槌，正与金锥类。又狂言《鬼之槌》一篇中，亦言鬼有隐身蓑笠及小槌，可如意求酒食也。

其三　女雀

> 姑获鸟，夜飞昼藏，盖鬼车类，衣毛为飞鸟，脱毛为女人。名为天帝少女，一名夜行游女，一名钩星，一名隐飞鸟。无子，喜取人子养为子，人养小儿不可露其衣，此鸟度即取儿也，以血点其衣为验，故世人名为鬼鸟。昔豫章男子见田中有六七女人，不知是[6]鸟，匍匐往，先得其所解毛衣藏之，即往就诸鸟。诸鸟各走就毛衣，衣之飞去。一鸟独不得去，男子取以为妇，生三女。其母后令女问父，知衣在积稻下，取衣飞去。后以衣迎三女，三女得衣，亦飞去。

右见郭氏《玄中记》，《太平御览》所引《搜神记》同，但作豫章新喻县。又《水经注》引《玄中记》，阳新男子于水次得女雀，遂与共居，生二女，悉衣羽而去。日本《近江风土记》载，近江男子伊香刀美见八天女浴川中，潜取羽衣一枚藏之，女遂留为夫妇，后得衣飞去。欧[7]洲有《鹄女》传说，大致相同。其根本思想即出于精灵信仰及感应魔术，盖形隔神通，故人兽可接，衣入人手则去住因之。或言古人多信怪鸟，因生此想，观上言姑获鸟信仰可见。然此种传说不仅限于鸟类，多有走兽鳞介化为人者，大抵源出于一，第以风土所习，斯生变化，山居者言禽，水居者言鱼，就各所见者而已。且审《玄中记》鬼鸟似别一事，殆因衣毛为飞鸟，脱毛为女人二语，而联引言之。今绍兴亦忌小儿衣夜露，谓九头鸟过颈血滴衣，令儿夭殇，即所云以血点其衣为验。日本亦谓常[8]令儿夜啼，但不言何鸟，故意鬼鸟与豫州女雀传说未必相涉也。

越中又有《螺女》传说，言有农人畜田螺于缸中，每自田间归，则饮食毕具。异而伺之，有女自缸中出，为洒扫作食，既为所见，遂留不去。今儿歌尚有“嚗嚗嚗，你那娘个田螺壳”之句，此即介类为人者也。此类童话，初由人力作合，而实有无限之势力隐伺其后，如失衣而女住，得衣而女去。盖民俗学中禁制，其律本于宗教，设立约束，逾越则败，中国有破法之说，殆亦其一例欤？

此外尚有马头娘、槃瓠，又刘阮天台、烂柯诸事，皆属世说范围，故今不及论焉。其言童话种类及与教育之关系，可检《童话略论》诸篇也。

【锺校】

①“洵”原作“陶”。

②“敝”原作“敞”。

③“赡”原作“瞻”。

④原无“以蚕”二字，今增。

⑤“影响”二字原倒错，今乙正。

⑥“是”原作“自”。

⑦“欧”原作“歌”。

⑧“常”原作“当”。

儿歌之研究

儿歌者，儿童歌讴之词，古言童谣。《尔雅》，“徒歌曰谣”。《说文》，夆注云：“从肉言，谓无丝竹相和之歌词也。”顾中国自昔以童谣比于谶纬，《左传》庄五年杜预注：“童龀之子，未有念虑之感，而会成嬉戏之言，似或有凭者，其言或中或否，博览之士，能惧思之人，兼而志之，以为鉴戒，以为将来之验，有益于世教。”又论童谣之起原，《晋[①]书·天文志》：“凡五星盈缩失位，其精降于地为人，荧惑降为童儿，歌谣游戏，吉凶之应，随其众告。”又《魏书·崔浩传》：“太史奏荧惑在匏瓜星中，一夜忽然亡失，不知所在，或谓下入危亡之国，将为童谣妖言。”《晋书·五行志》且记事以实之。（以荧惑为童谣主者，盖望[②]文生义，名学所谓“丐词”也。）自来书史纪录童谣者，率本此意，多列诸五行妖异之中。盖中国视童谣，不以为孺子之歌，而以为鬼神凭托，如乩卜之言，其来远矣。

占验之童谣，实亦儿歌之一种，但其属词兴咏，皆在一时事实，而非自然流露，泛咏物情，学者称之曰历史的儿歌。日本中根淑著《歌谣字数考》，于子守歌外别立童谣一门，其释曰：

> 支那周宣王时童女歌，檿弧箕服，实亡周国，为童谣之起原，在我国者以《日本纪》中皇极纪所载歌为最古，次见于齐明天智等纪，及后世记录中。其歌皆咏当时事实，寄兴他物，隐晦其词，后世之人鲜能会解。故童谣云者，殆当世有心人之作，流行于世，驯至为童子之所歌者耳。

中国童谣当亦如是。儿歌起原约有二端，或其歌词为儿童所自造，或本大人所作，而儿童歌之者。若古之童谣，即属于后者③，以其有关史实，故得附传至于今日，不与寻常之歌同就湮没也。

凡儿生半载，听觉发达，能辨别声音，闻有韵或有律之音，甚感愉快。儿初学语，不成字句，而自有节调，及能言时，恒复述歌词，自能成诵，易于常言。盖儿歌学语，先音节而后词意，此儿歌之所由发生，其在幼稚教育上所以重要，亦正在此。西国学者，搜集研究，排比成书，顺儿童自然发达之序，依次而进，与童话相衔接，大要分为前后两级，一曰母歌，一曰儿戏。母歌者，儿未能言，母与儿戏，歌以侑之，与后之儿自戏自歌异。其最初者即为抚儿使睡之歌，以啴缓之音作为歌词，反复重言，闻者身体舒懈，自然入睡。观各国歌词意虽殊，而浅言单调，如出一范，南法兰西歌有止言睡来睡来，不着他语，而当茅舍灯下，曼声歌之，和以摇篮之声，令人睡意自生。如越中之抚儿歌，亦止宝宝肉肉数言，此时若更和以缓缓纺车声，则正可与竞爽矣。次为弄儿之歌，先就儿童本身，指点为歌，渐及于身外之物。北京有十指五官及足五趾之歌（见美国何德兰编译《孺子歌图》），越中持儿手，以食指相点，歌曰：

斗斗虫，虫虫飞，飞到何里去？

飞到高山吃白米，吱吱哉！

与日本之“拍手”（Chōchi Chochi），英国之“拓饼”（Pata Cake），并其一例，其他指戏皆属之。又如“点点窝螺”“车水咿哑喔”“叉叉叉[④]到外婆家”“打荞麦”，亦是。又次为体物之歌，率就天然物象，即兴赋情，如越之“鸠鸣燕语”“知了喈喈叫”“火萤虫夜夜红”。杭州亦有之，云：

火焰虫，的的飞，飞上来，飞下去。

或云“萤火萤火，你来照我！”甚有诗趣。北京歌有

“喜儿喜儿买豆腐”“小耗子上灯台”，《北齐书》引童谣“羊羊吃野草”，《隋[5]书》之“可怜青雀子”，又“狐截尾”，《新唐书》之“燕燕飞上天”，皆其选也。复次，为人事之歌，原本世情，而特多诡谲之趣。此类虽初为母歌，及儿童能言，渐亦歌之，则流为儿戏之歌，如越中之“喜子窠”“月亮湾湾”“山里果子联联串”，是也。

儿戏者，儿童自戏自歌之词。然儿童闻母歌而识之，则亦自歌之。大较可分为三，如游戏，谜语，叙事。儿童游戏，有歌以先之，或和之者，与前弄儿之歌相似，但一为能动，一为所动为差耳。《北齐书》：“童戏者好以两手持绳，拂地而却上跳，且唱曰，高末!”即近世之跳绳。又《旧唐书》：“元和小儿谣云，打麦打麦三三三，乃转身曰，舞了也!”《明诗综》：“正统中京师群儿连臂呼于涂曰，正月里，狼来咬猪未？一儿应曰，未也。循是至八月，则应曰，来矣！皆散走。”皆古歌之仅存者。今北方犹有拉大锯，翻饼，烙饼，碾磨，糊狗肉，点牛眼，敦老米等戏，皆有歌佐之。越中虽有相当游戏，但失其词，故易散失，且令戏者少有兴会矣。

越中小儿列坐，一人独立作歌，轮数至末字，其人即起立代之，歌曰：

铁脚斑斑，斑过南山，

南山里曲，里曲弯弯，

新官上任，旧官请出。

此本决择歌，但已失其意而为寻常游戏者。凡竞争游戏，需一人为对手，即以歌别择，以末字所中者为定，其歌词率隐晦难喻，大抵趁韵而成。《明诗综》纪童谣云："狸狸斑斑，跳过南山，南山北斗，猎回界口，界口北面，二十弓箭。"朱竹垞《静志居诗话》云："此余童稚日偕闾巷小儿联臂踏足而歌者，不详何义，亦未有验。"考《古今风谣》："元至正中燕京童谣，脚驴斑斑，脚踏南山，南山北斗，养活家狗，家狗磨面，三十弓箭。"实即同一歌词而转讹者。盖儿歌重在音节，多随韵接合，义不相贯，如"一颗星"及"天里一颗星树里一只鹰""夹雨夹雪冻杀老鳖"等，皆然，儿童闻之，但就一二名物，涉想成趣，自感愉悦，不求会通，童谣难解，多以此故。唯本于古代礼俗，流传及今者，则可以民俗学疏理，得其本意耳。

谜语者，古所谓隐，"断竹续竹"之谣，殆为最古。今之蛮荒民族犹多好之，即在欧亚列国，乡民妇孺，亦尚有谜语流传，其内容仿佛相似。菲列滨土人钓钩谜曰，"悬死肉，求生肉"，与"断竹续竹，飞土逐肉”之隐弹丸同一思路。又犬谜曰，“坐时身高立时低”，乃与绍兴之谜同也。近人著《棣萼室谈虎》曰：“童时喜以用物为谜，因其浅近易猜，而村妪牧竖恒有传述之作，互相夸炫，词虽鄙俚，亦间有可取者。”但亦未举载。越中谜语之佳者如稻曰：

一园竹，细簇簇。开白花，结莲肉。

蜘蛛曰：

天里一只筛，筛里一只蟹。

眼曰：

日里忙忙碌碌，夜里茅草盖屋。

皆体物入微，惟思奇巧。幼儿知识初启，索隐推寻，足以开发其心思，且所述皆习见事物，象形疏状，深切著明，在幼稚时代，不啻一部天物志疏，言其效益，殆可比于近世所提倡之自然研究欤。

叙事歌中有根于历史者，如上言史传所载之童谣，多属于此。其初由世人造作，寄其讽喻，而小儿歌之，及时代变易，则亦或存或亡，淘汰之馀，乃永流传，如越谣之“低叭低叭，新人留带”，范啸风以为系宋末元初之谣，即其一例。但亦当分别言之，凡占验之歌，不可尽信，如“千里草何青青”之歌董卓，“小儿天上口”之歌吴元济，显然造作，本非童谣，又如“燕燕尾涎涎”本为童谣，而后人傅会其事，皆篝火狐鸣之故智，不能据为正解。故叙事童谣者，事后咏叹之词，与谶纬别也。次有传说之歌，以神话世说为本，特中国素少神话，则此类自鲜。越中之“嚗嚗嚗”歌，其本事出于螺女传说，馀未之见。又次为人事之歌，其数最多，举凡人世情事，大抵具有，特化为单纯，故于童心不相背戾。如婚姻之事，在儿童歌谣游戏中数见不鲜，而词致朴直，妙在自然。如北京谣云：

檐蝙蝠，穿花鞋，你是奶奶我是爷。

英国歌云：

白者百合红蔷薇，我为王时汝为妃。

迷迷[6]碧华芸草绿，汝念我时我念若。

皆其佳者。若淫词佚意，乃为下里歌讴，非童谣本色。如《天籁》卷一所载“石榴花开叶儿稀”，又“姐在房里笑嬉嬉”皆是。盖童谣与俗歌本同源而支流，儿童性好模拟，诵习俗歌，渐相错杂，观其情思句调，自可识别。如“石榴花开叶儿稀，打扮小姐娘家嬉”，是固世俗山歌之调，盖童谣之中虽间有俚词，而决无荡思也。

古今童谣之佳者，味覃隽永，有若醇诗。北京儿歌云：

一阵秋风一阵凉，一场白露一场霜，

严霜单打独根草，蚂蚱死在草根上。

则宛然原人之歌。《隋书》童谣云：

黄斑青骢马，发自寿阳涘，

来时冬气末，去日春风始。

有三百篇遗意。故依民俗学，以童歌与民歌比量，而得探知诗之起源，与艺术之在人生相维若何，犹从童话而知小说原始，为文史家所不废。《玉台新咏》《乐府诗集》多所采录，汉时之“大麦谣”“城上乌”最胜，宋长白盛称之，是盖与乐府一矣。若在教育方面，儿歌之与蒙养利尤切近，自德人弗勒贝尔倡[7]自力活动说以来，举世宗之。幼稚教育务在顺应自然，助其发达，歌谣游戏为之主课，儿歌之诘屈，童话之荒唐，皆有取焉，以尔时小儿心思，亦尔诘屈，亦尔荒唐，乃与二者正相适合，若达雅之词，崇正之义，反有所不受也。由是言之，儿歌之用，亦无非应儿童身心发达之度，以满足其喜音多语之性而已。童话游戏，其旨准此。迨级次逮进，知虑渐周，儿童之心，自能厌歌之诘屈，话之荒唐，而更求其上者，斯时进以达雅之词，崇正之义，则翕然应受，如石投水，无他，亦顺其自然之机耳。今人多言幼稚教育，但徒有空言，而无实际，幼稚教育之资料，亦尚缺然，坊间所为儿歌童话，又芜谬不可用。故略论儿歌之性质，为研究教育者之一助焉。

【锺校】

①“晋”原作“普”。

②“望”原作“希”。

③“者”原作“若”。

④“叉叉叉”原作“乂乂乂”。

⑤“隋”原作“惰”。

⑥“迷迷”周氏另文《英国童歌》作“迷迭”。

⑦“倡”原作“唱”。

儿童的文学

一九二〇年十月二十六日在北平孔德学校演讲

今天所讲儿童的文学，换一句话便是“小学校里的文学”。美国的斯喀特尔（H. E. Scudder）麦克林托克（P. L. Maclintock）诸人都有这样名称的书，说明文学在小学教育上的价值，他们以为儿童应该读文学的作品，不可单读那些商人杜撰的读本。读了读本，虽然说是识字了，却不能读书，因为没有读书的趣味。这话原是不错，我也想用同一的标题，但是怕要误会，以为是主张叫小学儿童读高深的文学作品，所以改作今称，表明这所谓文学，是单指“儿童的”文学。

以前的人对于儿童多不能正当理解，不是将他当作缩小的成人，拿“圣经贤传”尽量的灌下去，便将他看作不完全的小人，说小孩懂得甚么，一笔抹杀，不去理他。近来才知道儿童在生理心理上，虽然和大人有点不同，但他仍是完全的个人，有他自己的内外两面的生活。儿童期的二十几年的生活，一面固然是成人生活的预备，但一面也自有独立的意义与价值；因为全生活只是一个生长，我们不能指定哪一截的时期，是真正的生活。我以为顺应自然生活各期，——生长，成熟，老死，都是真正的生活。所以我们对于误认儿童为缩小的成人的教法，固然完全反对，就是那不承认儿童的独立生活的意见，我们也不以为然。那全然蔑视的不必说了，在诗歌里鼓吹合群，在故事里提倡爱国，专为将来设想，不顾现在儿童生活的需要的办法，也不免浪费了儿童的时间，缺损了儿童的生活。我想儿童教育，是应当依了他内外两面的生活的需要，适如其分的供给他，使他生活满足丰富，至于因了这供给的材料与方法而发生的效果，那是当然有的副产物，不必是供给时的唯一目的物。换一句话说，因为儿童生活上有文学的需要，我们供给他，便利用这机会去得一种效果，——于儿童将来生活上有益的一种思想或习性，当作副产物，并不因为要得这效果，便不管儿童的需要如何，供给一种食料，强迫他吞下去。所以小学校里的文学的教材与教授，第一须注意于“儿童的”这一点，其次才是效果，如读书的趣味，智情与想像的修养等。

儿童生活上何以有文学的需要？这个问题，只要看文学的起源的情形，便可以明白。儿童哪里有自己的文学？这个问题，只要看原始社会的文学的情形，便可以明白。照进化说讲来，人类的个体发生原来和系统发生的程序相同：胚胎时代经过生物进化的历程，儿童时代又经过文明发达的历程；所以儿童学（Paidologie）上的许多事项，可以借了人类学（Anthropologie）上的事项来作说明。文学的起源，本由于原人的对于自然的畏惧与好奇，凭了想像，构成一种感情思想，借了言语行动表现出来，总称是歌舞，分起来是歌、赋与戏曲小说。儿童的精神生活本与原人相似，他的文学是儿歌童话，内容形式不但多与原人的文学相同，而且有许多还是原始社会的遗物，常含有野蛮或荒唐的思想。儿童与原人的比较，儿童的文学与原始的文学的比较，现在已有定论，可以不必多说；我们所要注意的，只是在于怎么样能够适当的将“儿童的”文学供给与儿童。

近来有许多人对于儿童的文学，不免怀疑，因为他们觉得儿歌童话里多有荒唐乖谬的思想，恐于儿童有害。这个疑惧本也不为无理，但我们有这两种根据，可以解释他：

第一，我们承认儿童有独立的生活，就是说他们内面的生活与大人不同，我们应当客观地理解他们，并加以相当的尊重。婴儿不会吃饭，只能给他乳吃；不会走路，只好抱他：这是大家都知道的。精神上的情形，也正同这个一样。儿童没有一个不是拜物教的，他相信草木能思想，猫狗能说话，正是当然的事；我们要纠正他，说草木是植物猫狗是动物，不会思想或说话，这事不但没有什么益处，反是有害的，因为这样使他们的生活受了伤了。即使不说儿童的权利那些话，但不自然的阻遏了儿童的想像力，也就所失很大了。

第二，我们又知道儿童的生活，是转变的生长的。因为这一层，所以我们可以放胆供给儿童需要的歌谣故事，不必愁他有什么坏的影响。但因此我们又更须细心斟酌，不要使他停滞，脱了正当的轨道。譬如婴儿生了牙齿可以吃饭，脚力强了可以走路了，却还是哺乳提抱，便将使他的胃肠与脚的筋肉反变衰弱了。儿童相信猫狗能说话的时候，我们便同他们讲猫狗说话的故事，不但要使得他们喜悦，也因为知道这过程是跳不过的——然而又自然的会推移过去的，所以相当的对付了，等到儿童要知道猫狗是什么东西的时候到来，我们再可以将生物学的知识供给他们。倘若不问儿童生活的转变如何，只是始终同他们讲猫狗说话的事，那时这些荒唐乖谬的弊害才真要出来了。

据麦克林托克说，儿童的想像如被迫压，他将失了一切的兴味，变成枯燥的唯物的人；但如被放纵，又将变成梦想家，他的心力都不中用了。所以小学校里的正当的文学教育，有这样[①]三种作用：（1）顺应满足儿童之本能的兴趣与趣味；（2）培养并指导那些趣味；（3）唤起以前没有的新的兴趣与趣味。这（1）便是我们所说的供给儿童文学的本意，（2）与（3）是利用这机会去得一种效果。但怎样才能恰当的办到呢？依据儿童心理发达的程序与文学批评的标准，于教材选择与教授方法上，加以注意，当然可以得到若干效果。教授方法的话可以不必多说了，现在只就教材选择上，略略说明以备参考。

儿童学上的分期，大约分作四期，一婴儿期（一至三岁），二幼儿期（三至十），三少年期（十至十五），四青年期（十五至二十）。我们现在所说的是学校里一年至六年的儿童，便是幼儿期及少年期的前半，至于七年以上所谓中学程度的儿童，这回不暇说及，当俟另外有机会再讲了。

幼儿期普通又分作前后两期，三至六岁为前期，又称幼稚园时期，六至十为后期，又称初等小学时期。前期的儿童，心理的发达上最旺盛的是感觉作用，其他感情意志的发动也多以感觉为本，带着冲动的性质。这时期的想像，也只是被动的，就是联想的及模仿的两种，对于现实与虚幻，差不多没有什么区别。到了后期，观察与记忆作用逐渐发达，得了各种现实的经验，想像作用也就受了限制，须与现实不相冲突，才能容纳；若表现上面，也变了主动的，就是所谓构成的想像了。少年期的前半大抵也是这样，不过自我意识更为发达，关于社会道德等的观念，也渐明白了。

约略根据了这个程序，我们将各期的儿童的文学分配起来，大略如下：

幼儿前期

（1）诗歌　这时期的诗歌，第一要注意的是声调。最好是用现有的儿歌，如北平的“水牛儿”“小耗子”都可以用，就是那趁韵而成的如“忽听门外人咬狗”，咒语一般的决择歌如“铁脚斑斑”，只要音节有趣，也是一样可用的。因为幼儿唱歌只为好听，内容意义不甚紧要，但是粗俗的歌词也应该排斥，所以选择诗歌，不必积极的罗致名著，只须消极加以别择便好了。古今诗里有适宜的，当然可用；但特别新做的儿歌，我反不大赞成，因为这是极难的，难得成功的。

（2）寓言　寓言实在只是童话的一种，不过略为简短，又多含[2]着教训的意思，普通就称作寓言。在幼儿教育上，他的价值单在故事的内容，教训实是可有可无；倘这意义是自明的，儿童自己能够理会，原也很好，如借此去教修身的大道理，便不免背[3]谬了。这不但因为在这时期教了不能了解，且恐要养成曲解的癖，于将来颇有弊病。象征的著作须得在少年期的后期（第六七学年）去读，才有益处。

（3）童话　童话也最好利用原有的材料，但现在的尚未有人收集，古书里的须待修订，没有恰好的童话集可用。翻译别国的东西，也是一法，只须稍加审择便好。本来在童话里，保存着原始的野蛮的思想制度，比别处更多。虽然我们说过儿童是小野蛮，喜欢荒唐乖谬的故事，本是当然，但有几种也不能不注意：就是凡过于悲哀、苦痛、残酷的，不宜采用。神怪的事只要不过恐怖的限度，总还无妨；因为将来理智发达，儿童自然会不再相信这些，若是过于悲哀或痛苦，便永远在脑里留下一个印象，不会消灭，于后来思想上很有影响；至于残酷的害，更不用说了。

幼儿后期

（1）诗歌　这期间的诗歌不只是形式重要，内容也很重要了；读了固然要好听，还要有意思，有趣味。儿歌也可应用，前期读过还可以重读，前回听他的音，现在认他的文字与意义，别有一种兴趣。文学的作品倘有可采用的，极为适宜，但恐不很多。如选取新诗，须择叶韵而声调和谐的；但有词调小曲调的不取，抽象描写或讲道理的也不取。儿童是最能创造而又最是保守的；他们所喜欢的诗歌，恐怕还是五七言以前的声调，所以普通的诗难得受他们的赏鉴；将来的新诗人能够超越时代，重新寻到自然的音节，那时真正的新的儿歌才能出现了。

（2）童话　小学的初年还可以用普通的童话，但是以后儿童辨别力渐强，对于现实与虚幻已经分出界限，所以童话里的想像也不可太与现实分离；丹麦安兑尔然（Hans C. Andersen）作的童话集里，有许多适用的材料。传说也可以应用，但应当注意，不可过量的鼓动崇拜英雄的心思，或助长粗暴残酷的行为。中国小说里的《西游记》讲神怪的事，却与《封神传》不同，也算纯朴率真，有几节可以当童话用。《今古奇观》等书里边，也有可取的地方，不过须加以修订才能适用罢了。

（3）天然故事　这是寓言的一个变相；以前读寓言是为他的故事，现在却是为他所讲的动物生活。儿童在这时期，好奇心很是旺盛，又对于牧畜及园艺极热心，所以给他读这些故事，随后引到记述天然的著作，便很容易了。但中国这类著作非常缺少，不得不取材于译书，如《万物一览》等书了。

少年期

（1）诗歌　浅近的文言可以应用，如唐代的乐府及古诗里多有好的材料；中国缺少叙事的民歌（Ballad），只有《孔雀东南飞》等几篇可以算得佳作，《木兰行》便不大适用。这时期的儿童对于普通的儿歌，大抵已经没有什么趣味了。

（2）传说　传说与童话相似，只是所记的是有名英雄，虽然也含有空想的分子，比较的近于现实。在自我意识团体精神渐渐发达的时期，这类故事，颇为合宜；但容易引起不适当的英雄崇拜与爱国心，极须注意。最好采用各国的材料，使儿童知道人性里共通的地方，可以免去许多偏见。奇异而有趣味的，或真切而合于人情的，都可采用；但讲明太祖那颇仑等的故事，还以不用为宜。

（3）写实的故事　这与现代的写实小说不同，单指多含现实分子的故事，如欧洲的《鲁滨孙》（*Robinson Crusoe*）或《吉诃德先生》（*Don Quixote*）而言。

中国的所谓社会小说里，也有可取的地方，如《儒林外史》及《老残游记》之类，纪事叙景都可，只不要有玩世的口气，也不可有夸张或感伤为“杂剧的”气味。《官场现形记》与《广陵潮》没有什么可取，便因为这个缘故。

(4) 寓言　这时期的教寓言，可以注意在意义，助成儿童理智的发达。希腊及此外欧洲寓言作家的作品，都可选用；中国古文及佛经里也有许多很好的譬喻。但寓言的教训，多是从经验出来，不是凭理论的，所以尽有顽固或背谬的话，用时应当注意；又篇末大抵附有训语，可以删去，让儿童自己去想，指定了反妨害他们的活动了。滑稽故事此时也可以用，童话里本有这一部类，不过用在此刻也偏重意义罢了。古书如《韩非子》等的里边，颇有可用的材料，大都是属于理智的滑稽，就是所谓机智。感情的滑稽实例很少；世俗大多数的滑稽都是感觉的，没有文学的价值了。

(5) 戏曲　儿童的游戏中本含有戏曲的原质，现在不过伸张综合了，适应他们的需要。在这里边，他们能够发扬模仿的及构成的想像作用，得到团体游戏的快乐。这虽然是指实演而言，但诵读也别有兴趣，不过这类著作，中国一点都没有，还须等人去研究创作；能将所读的传说去戏剧化，原是最好，却又极难，所以也只好先从翻译入手了。

以上约略就儿童的各期，分配应用的文学种类，还只是理论上的空谈，须经过实验，才能确实的编成一个详表。以前所说多偏重“儿童的”，但关于“文学的”这一层，也不可将他看轻；因为儿童所需要的是文学，并不是商人杜撰的各种文章，所以选用的时候还应当注意文学的价值。所谓文学的，却也并非要引了文学批评的条例，细细的推敲，只是说须有文学趣味罢了。文章单纯、明了、匀整；思想真实、普遍：这条件便已完备了。麦克林托克说，小学校里的文学有两种重要的作用：（1）表现具体的影像，（2）造成组织的全体。文学之所以能培养指导及唤起儿童的新的兴趣与趣味，大抵由于这个作用。所以这两条件，差不多就可以用作儿童文学的艺术上的标准了。

中国向来对于儿童，没有正当的理解，又因为偏重文学，所以在文学中可以供儿童之用的，实在绝无仅有；但是民间口头流传的也不少，古书中也有可用的材料，不过没有人采集或修订了，拿来应用。坊间有几种唱歌和童话，却多是不合条件，不适于用。我希望有热心的人，结合一个小团体，起手研究，逐渐收集各地歌谣故事，修订古书里的材料，翻译外国的著作，编成几部书，供家庭学校的用，一面又编成儿童用的小册，用了优美的装帧，刊印出去，于儿童教育当有许多的功效。我以前因为汉字困难，怕这事不大容易成功，现在有了注音字母，可以不必多愁了。但插画一事，仍是为难。现今中国画报上的插画，几乎没有一张过得去的，要寻能够为儿童书作插画的，自然更不易得了，这真是一件可惜的事。

（《艺术与生活》）

【锺校】

①“样”原作“种”。

②“含”原作“舍”。

③原无“背”字，今增。

神话与传说

近来时常有人说起神话，但是他们用了科学的知识，不作历史的研究，却去下法律的判断，以为神话都是荒唐无稽的话，不但没有研究的价值，而且还有排斥的必要。这样的意见，实在不得不说是错误的。神话在民俗学研究上的价值大家多已知道，就是在文艺方面也是很有关系，现在且只就这一面略略加以说明。

神话一类大同小异的东西，大约可以依照他们性质分作下列四种：

一　神话（Mythos = Myth）

二　传说（Saga = Legend）

三　故事（Logos = Anecdote）

四　童话（Maerchen = Fairy tale）

神话与传说形式相同，但神话中所讲者是神的事情，传说是人的事情；其性质一是宗教的，一是历史的。传说与故事亦相同，但传说中所讲的是半神的英雄，故事中所讲的是世间的名人；其性质一是历史的，一是传记的。这三种可以归作一类，人与事并重，时地亦多有着落，与重事不重人的童话相对。童话的性质是文学的，与上边三种之由别方面转入文学者不同，但这不过是他们原来性质上的区别，至于其中的成分别无什么大差，在我们现今拿来鉴赏，又原是一样的文艺作品，分不出轻重来了。

对于神话等中间的怪诞分子，古来便很有人注意，加以种种解说，但都不很确切，直至十九世纪末英人安特路阑（Andrew Lang）以人类学法解释，才能豁然贯通，为现代民俗学家作采用。新旧学说总凡五家，可以分为退化说与进化说两派。

退化说

（一）历史学派　此派学说以为一切神话等皆本于历史的事实，因年代久远，遂致传讹流于怪诞。

（二）譬喻派　此派谓神话等系假借具体事物，寄托抽象的道德教训者，因传讹失其本意，成为怪诞的故事。

（三）神学派　此派谓神话等系《旧约》中故事之变化。

（四）言语学派　此派谓神话等皆起源于“言语之

病”，用自然现象解释一切。他们以为自然现象原有许多名称，后来旧名废弃而成语留存，意义已经不明，便以为是神灵的专名，为一切神话的根源。以上四派中以此派为最有势力，至人类学派起，才被推倒了。

进化说

（五）人类学派　此派以人类学为根据，证明一切神话等的起源在于习俗。现代的文明人觉得怪诞的故事，在他发生的时地，正与社会上的思想制度相调和，并不觉得什么不合。譬如人兽通婚，似乎是背谬的思想，但在相信人物皆精灵，能互易形体的社会里，当然不以为奇了。他们征引古代或蛮族及乡民的信仰习惯，考证各式神话的原始，大概都已得到解决。

我们依了这人类学派的学说，能够正当了解神话的意义，知道他并非完全是荒诞不经的东西，并不是几个特殊阶级的人任意编造出来，用以愚民，更不是大人随口胡诌骗小孩子的了。我们有这一点预备知识，才有去鉴赏文学上的神话的资格，譬如古希腊的所谓荷马的史诗，便充满了许多无稽的话，非从这方面去看是无从索解的。真有吃人的“圆目”（Kyklops）么？伊泰加的太上皇真在那里躬耕么？都是似乎无稽的问题，但我们如参照阑氏的学说读去，不但觉得并不无稽，而且反是很有趣味了。

离开了科学的解说，即使单从文学的立脚点看去，神话也自有其独立的价值，不是可以轻蔑的东西。本来现在的所谓神话等，原是文学，出在古代原民的史诗史传及小说里边，他们做出这些东西，本不是存心作伪以欺骗民众，实在只是真诚的表现出他们质朴的感想，无论其内容与外形如何奇异，但在表现自己这一点上与现代人的著作并无什么距离。文学的进化上，虽有连接的反动（即运动）造成种种的派别，但如根本的人性没有改变，各派里的共通的文艺之力，一样的能感动人，区区的时间和空间的阻隔只足加上一层异样的纹彩，不能遮住他的波动。中国望夫石的传说，与希腊神话里的尼阿倍（Niobe）痛子化石的话，在现今用科学眼光看去，都是诳话了，但这于他的文艺的价值决没有损伤，因为他所给与者并不是人变石头这件事实，却是比死更强的男女间及母子间的爱情，化石这一句话差不多是文艺上的象征作用罢了。文艺不是历史或科学的记载，大家都是知道的。如见了化石的故事，便相信人真能变石头，固然是个愚人，或者又背着科学来破除迷信，断断的争论化石故事之不合真理，他[①]未免成为笨伯了。我们决不相信在事实上人能变成石头，但在望夫石等故事里，觉得他能够表示一种心情，自有特殊的光热，我们也就能离开了科学问题，了解而且赏鉴他的美。研究文学的人运用现代的科学知识，能够分析文学的成分，探讨时代的背景，个人的生活与心理的动因，成为极精密的研究，唯在文艺本体的赏鉴，还不得不求诸一己的心，便是受过科学洗礼而仍无束缚的情感，不是科学知识自己。中国凡事多是两极端的，一部分的人现在还抱着神话里的信仰，一部分的人便以神话为不合科学的诳话，非排斥不可。我想如把神话等提出在崇信与攻击之外，还他一个中立的位置，加以学术的考订，归入文化史里去，一方面当作古代文学看，用历史批评或艺术赏鉴去对待他，可以收获相当的好结果：这个办法，庶几得中，也是世界通行的对于神话的办法。好广大肥沃的田地摊放在那里，只等人去耕种。国内有能耐劳苦与寂寞的这样的农夫么？

在本文中列举神话传说故事童话四种，标题却只写神话与传说，后边又常单举神话，其实都是包括四者在内，因便利上故从简略。

（《自己的园地》）

【锺校】

①“他”《自己的园地》作“也”。

歌谣

歌谣这个名称，照字义上说来只是口唱及合乐的歌，但平常用在学术上与“民歌”是同一的意义。民谣的界说，据英国吉特生（Kidson）说[①]是一种诗歌：

> 生于民间，为民间所用以表现情绪，或为抒情的叙述者。他又大抵是传说的，而且正如一切的传说一样，易于传讹或改变。他的起源不能确实知道，关于他的时代也只能约略知道一个大概。

他的种类的发生，大约是由于原始社会的即兴歌，《诗序》所说“情动于中而形于言”云云，即是这种情形的说明，所以民谣可以说是原始的——而又不老的诗。在文化很低的社会里，个人即兴口占，表现当时的感情或叙述事件，但唱过随即完了，没有保存的机会，到得文化稍进，于即兴之外才有传说的歌谣，原本也是即兴，却被社会所采用，因而就流传下来了。吉特生说：

> 有人很巧妙的说，谚是一人的机锋，多人的智慧。对于民歌我们也可以用同样的界说，便是由一个人的力将一件史事，一件传说或一种感情，放在可感觉的形式里（表现出来），这些东西本为民众普通所知道或感到的，但少有人能够将他造成定形。我们可以推想，个人的这种著作或是粗糙，或是精炼，但这关系很小，倘若这感情是大家所共感到的，因为通用之后自能渐就精炼，不然也总多少磨去他的棱角（使他稍为圆润）了。

民歌是原始社会的诗，但我们的研究却有两个方面，一是文艺的，一是历史的。从文艺的方面我们可以供诗的变迁的研究，或做新诗创作的参考。在这一点上我们需要现存的民歌比旧的更为重要，古文书里不少好的歌谣，但是经了文人的润色，不是本来的真相了。民歌与新诗的关系，或者有人怀疑，其实是很自然的，因为民歌的最强烈最有价值的特色是他的真挚与诚信，这是艺术品的共通的精魂，于文艺趣味的养成极是有益的。吉特生说：

> 民歌作者并不因职业上的理由而创作，他唱歌，因为他是不能不唱，而且有时候他还是不甚

适于这个工作。但是他的作品，因为是真挚地做成的，所以有那一种感人的力，不但适合于同阶级，并且能感及较高文化的社会。

这个力便是最足供新诗的汲取的。意大利人威大利（Vitale）在所编的《北京儿歌》序上指点出读者的三项益处，第三项是“在中国民歌中可以寻到一点真的诗”，后边又说：

这些东西虽然都是不懂文言的不学的人所作，却有一种诗的规律，与欧洲诸国类似，与意大利诗法几乎完全相合。根于这些歌谣和人民的真的感情，新的一种国民的诗或者可以发生出来。

这一节话我觉得极有见解，而且那还是一八九六年说的，又不可不说他是先见之明了。

历史的研究一方面，大抵是属于民俗学的，便是从民歌里去考见国民的思想，风俗与迷信等，言语学上也可以得到多少参考的材料。其资料固然很需要新的流行的歌谣，但旧的也一样重要，虽然文人的润色也须注意分别的。这是一件很大的事业，不过属于文艺的范围以外，现在就不多说了。

在民歌这个总名之下，可以约略分作这几大类：

一　情歌

二　生活歌　包括各种职业劳动的歌，以及描写社会家庭生活者，如童养媳及姑妇的歌皆是。

三　滑稽歌　嘲弄讽刺及“没有意思”的歌皆属之，唯后者殊不多，大抵可以归到儿歌里去。

四　叙事歌　即韵文的故事，《孔雀东南飞》及《木兰行》是最好的例，但现在通行的似不多见。又有一种“即事”的民歌，叙述当代的事情，如此地通行的“不剃辫子没法混，剃了辫子怕张顺”便是。中国史书上所载有应验的“童谣”，有一部分是这些歌谣，其大多数原是普通的儿歌，经古人附会作荧惑的神示罢了。

五　仪式歌　如结婚的撒帐歌等，行禁厌时的祝语亦属之。占候歌诀也应该附在这里。谚语是理知的产物，本与主情的歌谣殊异，但因也用歌谣的形式，又与仪式占候歌有连带的关系，所以附在末尾；古代的诗的哲学书都归在诗里，这正是相同的例了。

六　儿歌　儿歌的性质与普通的民歌颇有不同，所以别立一类。也有本是大人的歌而儿童学唱者，虽然依照通行的范围可以当作儿歌，但严格的说来应归入民歌部门才对。欧洲编儿歌集的人普通分作母戏母歌与儿戏儿歌两部，以母亲或儿童自己主动为断，其次序先儿童本身，次及其关系者与熟习的事物，次及其他各事物。现在只就歌的性质上分作两项：

（1）事物歌

（2）游戏歌

事物歌包含一切抒情叙事的歌，谜语其实是一种咏物诗，所以也收在里边。唱歌而伴以动作者则为游戏歌，实即叙事的扮演，可以说是原始的戏曲，——据现代民俗学的考据，这些游戏的确起源于先民的仪式。游戏时选定担任苦役的人，常用一种完全没有意思的歌词，这便称作决择歌（Countingout Song），也属游戏歌项下；还有一种只用作歌唱，虽亦没有意思而各句尚相连贯者，那是趁韵的滑稽歌，当属于第一项了。儿歌研究的效用，除上面所说的两件以外，还有儿童教育的一方面，但是他的益处也是艺术的而非教训的，如吕新吾作《演小儿语》，想改作儿歌以教“义理身心之学”，道理固然讲不明白，而儿歌也就很可惜的白白的糟掉了。

（《自己的园地》）

【原注】

①见所著《英国民歌论》第一章。

儿童的书

美国斯喀德（Scudder）在《学校里的儿童文学》一篇文里曾说："大多数的儿童经过了小学时期，完全不曾和文学接触。他们学会念书，但没有东西读。他们不曾知道应该读什么书。"凡被强迫念那书贾所编的教科书的儿童，大都免不掉这个不幸，但外国究竟要比中国较好，因为他们还有给儿童的书，中国则一点没有，即使儿童要读也找不到。

据我自己的经验讲来，我幼时念的是"圣贤之书"，却也完全不曾和文学接触，正和念过一套书店的教科书的人一样。后来因为别的机缘，发见在那些念过的东西以外还有可看的书，实在是偶然的幸运。因为念那圣贤之书，到十四岁时才看得懂"白话浅文"，虽然也看《纲鉴易知录》当日课的一部分，但最喜欢的却是《镜花缘》。此外也当然爱看绣像书，只是绣的太是呆板了，所以由《三国志演义》的绘图转到《尔雅图》和《诗中画》一类那里去了。中国向来以为儿童只应该念那经书的，以外并不给预备一点东西，让他们自己去挣扎，止那精神上的饥饿；机会好一点的，偶然从文字堆中——正如在秽土堆中检煤核的一样——掘出一点什么来，聊以充腹，实在是很可怜的。这儿童所需要的是什么呢？我从经验上代答一句，便是故事与画本。

二十馀年后的今日，教育文艺比那时发达得多了，但这个要求曾否满足，有多少适宜的儿童的书了么？我们先看画本罢。美术界的一方面因为情形不熟，姑且不说绘画的成绩如何，只就儿童用的画本的范围而言，我可以说不曾[①]见到一本略好的书。不必说克路轩克（Cruikshank）或比利平（Bilibin）等人的作品，就是如竹久梦二的那些插画也难得遇见。中国现在的画，失了古人的神韵，又并没有新的技工，我见许多杂志及教科书上的图都不合情理，如阶石倾斜，或者母亲送四个小孩去上学，却是一样的大小。这样日常生活的景物还画不好，更不必说纯凭想像的童话绘了，——然这童话绘却正是儿童画本的中心，我至今还很喜欢看鲁滨孙等人的奇妙的插画，觉得比历史绘更为有趣。但在中国却一册也找不到。幸而中国没有买画本给小儿做生日或过节的风气，否则真是使人十分为难了。儿童所喜欢的大抵是线画，中国那种的写意画法不很适宜，所以即使往古美术里去找也得不到什么东西，偶然有些织女钟馗等画略有趣味，也稍缺少变化；如焦秉贞的《耕织图》却颇适用，把他翻印出来，可以供少年男女的翻阅。

儿童的歌谣故事书，在量上是很多了，但在质上未免还是疑问。我以前曾说过：

> 大抵在儿童文学上有两种方向不同的错误：一是太教育的，即偏于教训；一是太艺术的，即偏于玄美：教育家的主张多属于前者，诗人多属于后者。其实两者都不对，因为他们不承认儿童的世界。

中国现在的倾向自然多属于前派，因为诗人还不曾着手于这件事业。向来中国教育重在所谓经济。后来又中了实用主义的毒，对儿童讲一句话，睐一睐眼，都非含有意义不可，到了现在这种势力依然存在，有许多人还把儿童故事当作法句譬喻看待。我们看那《伊索寓言》后面的格言，已经觉得多事，更何必去模仿他。其实艺术里未尝不可寓意，不过须得如做果汁冰酪一样，要把果子味混透在酪里，决不可只把一块果子皮放在上面就算了事。但是这种作品在儿童文学里，据我想来本来还不能算是最上乘，因为我觉得最有趣的是有那无意思之意思的作品。安徒生的《丑小鸭》，大家承认他是一篇佳作，但《小伊达的花》似乎更佳；这并不因为他讲花的跳舞会，灌输泛神的思想，实在只因他那非教训的无意思，空灵的幻想与快活的嬉笑，比那些老成的文字更与儿童的世界接近了。我说无意思之意思，因为这无意思原自有他的作用，儿童空想正旺盛的时候，能够得到他们的要求，让他们愉快的活动，这便是最大的实益，至于其馀观察记忆，言语练习等好处即使不说也罢。总之儿童的文学只是儿童本位的，此外更没有什么标准。中国还未曾发见了儿童，——其实连个人与女子也还未发见，所以真的为儿童的文学也自然没有，虽市场上摊着不少的卖给儿童的书本。

艺术是人人的需要，没有什么阶级性别等等差异。我们不能指定这是工人的，那是女子所专有的文艺，更不应说这是为某种人而作的；但我相信有一个例外，便是“为儿童的”。儿童同成人一样的需要文艺，而自己不能造作，不得不要求成人的供给。古代流传下来的神话传说，现代野蛮民族里以及乡民及小儿社会里通行的歌谣故事，都是很好的材料，但是这些材料还不能就成为“儿童的书”，须得加以编订才能适用。这是现在很切要的事业，也是值得努力的工作。凡是对儿童有爱与理解的人都可以着手去做，但在特别富于这种性质而且少有个人的野心之女子们，我觉得最为适宜。本于温柔的母性，加上学理的知识与艺术的修养，便能比男子更为胜任。我固然尊重人家的创作，但如见到一本为儿童的美的画本或故事书，我觉得不但尊重而且喜欢，至少也把他看得同创作一样的可贵。

（《自己的园地》）

【锺校】

①“曾”原作“会”。

科学小说

科学进到中国的儿童界里，不曾建设起“儿童学”来，只见在那里开始攻击童话，——可怜中国的儿童固然也还够不上说有好童话听。在“儿童学”开山的美国诚然也有人反对，如勃朗（Brown）之流，以为听了童话未必能造飞机或机关枪，所以即使让步说儿童要听故事，也只许读“科学小说”。这条符命，在中国正在“急急如律令”的奉行。但是我对于“科学小说”总很怀疑，要替童话辩护。不过教育家的老生常谈也无重引的必要，现在别举一两个名人的话替我表示意见。

以性的心理与善种学研究著名的医学博士蔼理斯在《凯沙诺伐论》中说及童话在儿童生活上之必要，因为这是他们精神上的最自然的食物。倘若不供给他，这个缺损永远无物能够弥补，正如使小孩单吃淀粉质的东西，生理上所受的饿不是后来给予乳汁所能补救的一样。吸收童话的力不久消失，除非小孩有异常强盛的创造想像力，这方面精神的生长大抵是永久的停顿了。在他的《社会卫生的事业》（据序上所说，这社会卫生实在是社会改革的意思[1]，并非普通的卫生事项）第七章里也说："听不到童话的小孩自己来造作童话，——因为他在精神的生长上必需这些东西，正如在身体的生长上必需糖一样，——但是他大抵造的很坏。"据所引医学杂志的实例，有一位夫人立志用真实教训儿童，废止童话，后来却见小孩们造作了许多可骇的故事，结果还是拿《杀巨人的甲克》来给他们消遣。他又说少年必将反对儿时的故事，正如他反对儿时的代乳粉，所以将来要使他相信的东西以不加在里边为宜。这句话说的很有意思，不但荒唐的童话因此不会有什么害处，而且正经的科学小说因此也就不大有什么用处了。

阿那多尔·法兰西（Anatol France）是一个文人，但他老先生在法国学院里被人称为无神论者无政府主义者，所以他的论童话未必会有拥护迷信的嫌疑。《我的朋友的书》是他早年的杰作，第二编《苏珊之卷》里有一篇《与D夫人书》，发表他的许多聪明公正的意见：

那位路易菲该先生是个好人，但他一想到法

国的少年少女还会在那里读《驴皮》，他平常的镇静便完全失掉了。他做了一篇序，劝告父母须得从儿童手里把贝洛尔的故事夺下，给他们看他友人菲古斯博士的著作。“琼英姑娘，请把这书合起了罢。不要再管那使你喜欢得流泪的天青的鸟儿了，请你快点去学了那以太麻醉法罢。你已经七岁了，还一点都不懂得一酸化窒素的麻醉力咧！”路易菲该先生发见了仙女都是空想的产物，所以他不准把这些故事讲给他们听。他给他们讲海鸟粪肥料：在这里边是没有什么空想的。——但是，博士先生，正因为仙女是空想的，所以他们存在。他们存在在那些素朴新鲜的空想之中，自然形成为不老的诗——民众传统的诗的空想之中。

最琐屑的小书，倘若它引起一个诗的思想，暗示一个美的感情，总之倘若它触动人的心，那在小孩少年就要比你们的讲机械的所有的书更有无限的价值。

我们必须有给小孩看的故事，给大孩看的故事，使我们笑，使我们哭，使我们置身于幻惑之世界里的故事。

这样的抄下去，实在将漫无限制，非至全篇抄完不止；我也很想全抄，倘若不是因为见到自己译文的拙劣而停住了。但是我还忍不住再要抄他一节。

> 请不要怕他们（童话的作者）将那些关于妖怪和仙女的废话充满了小孩的心，会把他教坏了。小孩着实知道这些美的形象不是这世界里所有的。有害的倒还是你们的通俗科学，给他那些不易矫正的谬误的印象。深信不疑的小孩一听威奴先生这样说，便真相信人能够装在一个炮弹内放到月亮上面去，及一个物体能够轻易的反抗重力的定则。
>
> 古老尊严的天文学之这样的滑稽拟作，既没有真，也没有美，是一无足取。

照上边说来，科学小说总是弄不好的：当作小说与《杀巨人的甲克》一样的讲给小孩听呢，将来反正同甲克一样的被抛弃，无补于他的天文学的知识。当作科学与海鸟粪一样的讲呢，无奈做成故事，不能完全没有空想，结果还是装在炮弹里放到月亮上去，不再能保存学术的真实了。即如法阑玛利唵（Flamarion）的《世界如何终局》当然是一部好的科学小说，比焦尔士威奴（Jules Verne 根据梁任公先生的旧译）或者要好一点了，但我见第二篇一章里有这样的几句话：

街上没有雨水，也没有泥水：因为雨一下，天空中就布满了一种玻璃的雨伞，所以没有各自拿伞的必要。

这与童话里的法宝似乎没有什么差别，只是更笨相一点罢了。这种玻璃雨伞或者自有做法，在我辈不懂科学的人却实在看了茫然，只觉得同金箍棒一样的古怪。如其说只是漠然的愿望，那么千里眼之于望远镜，顺风耳之于电话等，这类事情童话中也“古已有之”了。科学小说做得好的，其结果还是一篇童话，这才令人有阅读的兴致，所不同者，其中偶有抛物线等的讲义须急忙翻过去，不像童话的行行都读而已。有些人借了小说写他的“乌托邦”的理想，那是别一类，不算在科学小说之内。又上文所说系儿童文学范围内的问题，若是给平常人看，科学小说的价值又当别论，不是我今日所要说的了。

十三年九月一日。

（《雨天的书》）

【锺校】

①“思”原作“见”。据《雨天的书》改。

吕坤的《演小儿语》

中国向来缺少为儿童的文学。就是有了一点编纂的著述，也以教训为主，很少艺术的价值。吕新吾的这一卷《演小儿语》，虽然标语也在“蒙以养正”，但是知道利用儿童的歌词，能够趣味与教训并重，确是不可多得的，而且于现在的歌谣研究也不无用处，所以特地把他介绍一下。

原书一册，总称《小儿语》，内计吕得胜（近溪渔隐）的《小儿语》一卷，《女小儿语》一卷，吕坤（抱独居士）的《续小儿语》三卷，《演小儿语》一卷。前面的五卷书，都是自作的格言，仿佛《三字经》的一部分，也有以谚语为本而改作的，虽然足为国语的资料，于我们却没有什么用处。末一卷性质有点不同，据小引里说，系采取直隶河南山西陕西的童谣加以修改，为训蒙之用者。在我们看来，把好好的歌谣改成箴言，觉得很是可惜，但是怪不得三百年以前的古人，而且亏得这本小书，使我们能够知道在明朝有怎样的儿歌，可以去留心搜集类似的例，我们实在还应感谢的。

书的前面有嘉靖戊午（1558）吕得胜的序，末有万历癸巳（1593）吕坤的书后，说明他们对于歌谣的意见。序云：

> 儿之有知而能言也，皆有歌谣以遂其乐，群相习，代相传，不知作者所自，如梁宋间《盘脚盘》《东屋点灯西屋明》之类。学焉而于童子无补，余每笑之。夫蒙以养正，有知识时便是养正时也。是俚语者固无害，胡为乎习哉？……

书后云：

> 小儿皆有语，语皆成章，然无谓。先君谓无谓也，更之；又谓所更之未备也，命余续之，既成刻矣；余又借小儿原语而演之。语云，教子婴孩。是书也诚鄙俚，庶几乎婴孩一正传哉！……

他们看不起儿童的歌谣，只因为“固无害”而“无谓”，——没有用处，这实在是绊倒许多古今人的一个石头。童谣用在教育上只要无害便好，至于在学术研究上，那就是有害的也很重要了。序里说仿作小儿语，“如其鄙俚，使童子乐闻而易晓焉”，却颇有见地，与现在教育家反对儿童读“白话浅文”不同，至于书后自谦说："言各有体，为诸生家言则患其不文，为儿曹家言则患其不俗。余为儿语而文，殊不近体；然刻意求为俗，弗能。"更说得真切。他的词句其实也颇明显，不过寄托太深罢了。

《演小儿语》共四十六首，虽说经过改作，但据我看去有几首似乎还是"小儿之旧语"，或者删改的地方很少。今举出数篇为例。

九

鹦哥乐，檐前挂，
为甚过潼关，
终日不说话。

二五

讨小狗，要好的。
我家狗大却生痴，
不咬贼，只咬鸡。

三八

孩儿哭，哭恁痛。
那个打你，我与对命，
宁可打我我不嗔，
你打我儿我怎禁。

四一

老王卖瓜，腊腊巴巴。

不怕担子重，
只要脊梁硬。

我说这些似是原来的儿歌，本来只是猜想；从文句上推测，又看他解释得太迂远了的时候，便觉得其中当含着不少的原有分子，因为如果大经改作，表示意思必定更要晓畅。大约著者想要讲那“理义身心之学”，而对于这些儿童诗之美却无意的起了欣赏，所以抄下原诗而加上附会的教训，也未可知。我读那篇书后，觉得这并非全是幻想。

我们现在把那四十六首《演小儿语》，转录在北大《歌谣周刊》上面，或者于研究歌谣的人不无用处，并希望直隶河南山西陕西各处的人见了书中的歌，记起本地类似的各种歌谣，随时录寄。《演小儿语》虽经过改作，但是上半，至少是最初两句，都是原语，所以还可以看出原来是什么歌，如“风来了，雨来了”也在里面，只是下半改作过了。从这书里选择一点作儿童唱歌用，也是好的，只要拣取文词圆润自然的，不要用那头巾气太重的便好了。

一九二三年四月。

（《谈龙集》）

读《童谣大观》

一

现在研究童谣的人，大约可以分作三派，从三个不同的方面着眼。其一是民俗学的，认定歌谣是民族心理的表现，含蓄着许多古代制度仪式的遗迹，我们可以从这里边得到考证的资料。其二是教育的，既然知道歌吟是儿童的一种天然的需要，便顺应这个要求供给他们整理的适用的材料，能够收到更好的效果。其三是文艺的，“晓得俗歌里有许多可以供我们取法的风格与方法”，把那些特别有文学意味的“风诗”选录出来，“供大家的赏玩，供诗人的吟咏取材”。这三派的观点尽有不同，方法也迥异，——前者是全收的，后二者是选择的，——但是各有用处，又都凭了清明的理性及深厚的趣味去主持评判，所以一样的可以信赖尊重的。

上边所说的三派，都是现代对于童谣的态度，但在古时，却有一派的极有势力的意见，那便是五行志派。《左传》庄五年杜注云：

> 童龀之子，未有念虑之感，而会成嬉戏之言，似或有冯者。其言或中或否，博览之士，能惧思之人，兼而志之，以为鉴戒，以为将来之验，有益于世教。

《晋书·天文志》又云：

> 凡五星盈缩失位，其星降于地为人。荧惑降为童儿，歌谣游戏，吉凶之应随其众告。

这两节话，可以总括这派学说的精义，虽然因为可“以为鉴戒”的缘故，有好些歌谣得以侥幸的保存在史书里，但在现代，其理论之不合原是很了然的了。我在民国二年所作的《儿歌之研究》里，曾有一节说及这个问题：

> 占验之童谣实亦儿歌一种，但其属词兴咏，皆在一时事实，而非自然流露，泛咏物情，学者称之曰历史的儿歌。日本中根淑著《歌谣字数考》，于子守歌以外别立童谣一项，其释曰：“……其歌皆咏当时事实，寄兴他物，隐晦其词，后世之人鲜能会解。故童谣云者，殆当世有心人之作，流行于世，驯至为童子所歌者耳。”中国

童谣，当亦如是。儿歌起源约有二端，或其歌词为儿童所自造，或本大人所作而儿童歌之者。若古之童谣，即属于后者，以其有关史实，故得附传至于今日，不与寻常之歌同就湮没也。

童谣并不是荧惑星所编，教给儿童唱的，这件极简单的事，本来也不值得反复申说。但是我看见民国十一年出版的《童谣大观》里还说着五行志一派的话，所以不禁又想起来了。该书的编辑概要里说：

童谣随便从儿童嘴里唱出，自然能够应着气运；所以古来大事变，往往先有一种奇怪的童谣，起始大家莫名其妙，后来方才知道事有先机，竟被他说着了。这不是儿童先见之明，实在是一时间跟着气运走的东西。现在把近时的各地童谣录出，有识见的人也许看得出几分将来的国运，到底是怎样？

在篇末又引了明末“朱家面，李家磨”的童谣来作例证，说“后来都一一应了”。这样的解说，不能不算是奇事怪事。什么是先机？什么是一时间跟着气运走的东西？真是莫名其妙。虽然不曾明说有荧惑星来口授，但也确已说出“似或有冯者”一类的意思，而且足“以为将来之验”了。在杜预注《左传》还不妨这样说，现代童谣集的序文里，便决不应有。《推背图》《烧饼歌》和“断梦秘书”之类，未尝不堆在店头，但那只应归入“占卜奇书类”中，却不能说是“新时代儿童游戏之一”了。

我对于《童谣大观》第一表示不满的，便是这五行志派的意见，因为这不但不能正当理解儿歌的价值，而且更要引老实的读者入于邪道。

二

《童谣大观》中共收各县歌谣四百馀首，谜语六十五则。所录四十县排列无序，又各县之歌亦多随便抄撮，了无组织，如浙江一二县既已前出，而象山永康复见卷末，象山的六首又尽是占日月风雨者，这都是编辑粗疏的地方（篇中北方歌谣极少，只是囿于见闻，还不足为病），但是总可算作歌谣的一种长编，足以供我们的参考。

不过这里有一个疑问，便是这里边所收的歌词是否都可信赖。别处的我不知道，只就绍兴一县的来检查一下罢，《大观》中所收二十篇内，除《狸》《客人》及《曹阿狗》三首外，其馀均见范啸风所辑的《越谚》中，注解和用字也都仍范氏之旧。范氏辑此书时，在光绪初年，买圆糖炒豆招集邻近小儿，请他们唱歌给他听，所以他所录的五十几首都是可信的儿歌，虽然他所用的奇字未免有穿凿的地方。《曹阿狗》和《客人》未见著录，《客人》当系“喜鹊叫，媒人到”的一种变体。我所搜集的儿歌中有这一章，与《曹阿狗》同属于“火荧虫夜夜红”一系者。

爹杀猪吊酒，
娘上绷落绣。
买得个溇，
上种红菱下种藕，
四边插杨柳，
杨柳底下种葱韭。

末三句二本几乎相同，所以这或者可以说是《曹阿狗》的一种略本，但在艺术上却更占优胜了。

《狸》这一篇并不是现代绍兴的儿歌。原文如下：

狸狸斑斑，跳过南山。
南山北斗，猎回界口。
界口北面，二十弓箭！

据《古谣谚》引此歌，并《静志居诗话》中文云：“此余童稚日偕闾巷小儿联臂踏足而歌者，不详何义，亦未有验。”又《古今风谣》载元至正中燕京童谣云：

脚驴斑斑，脚踏南山。
南山北斗，养活家狗。
家狗磨面，三十弓箭。

可知此歌自北而南，由元至清，尚在流行，但形式逐渐不同了。绍兴现在的确有这样的一首歌，不过文句大有变更，不说“狸狸斑斑”了。《儿歌之研究》中说：

> 越中小儿列坐，一人独立作歌，轮数至末字，中者即起立代之。歌曰：
>
> 铁脚斑斑，斑过南山。
>
> 南山里曲，里曲弯弯。
>
> 新官上任，旧官请出。
>
> 此本决择歌（Countingout rhyme），但已失其意而成为寻常游戏者。凡竞争游戏需一人为对手，即以歌决择，以末字所中者为定。其歌词率隐晦难喻，大抵趁韵而成。

所以把这一首“狸狸斑斑”当作现代绍兴的儿歌，实在是不妥当的。照上边所说的看来，他的材料未尝不可供我们参考之用，但是因为编辑很是粗疏，所以非先经过一番审慎的厘订，不能轻易采用。

此外关于印刷上，当然还有许多缺点，如抄写的疏忽（在两页书上脱落了两处），纸墨的恶劣，在有光纸的石印书原是必备的条件，或者可以不必说了。我所看了最不愉快的是那绣像式的插画，这不如没有倒还清爽些。说起这样插画的起源也很早了，许多小学教科书里都插着这样不中不西，毫无生气的傀儡画，还有许多的“教育画”也是如此。这真是好的美育哩！易卜生说：“全或无。”我对于中国的这些教育的插画也要说同样的话。

《绘图童谣大观》于我们或者不无用处，但是看了那样的纸墨图画，——即使没有那篇序文，总之也不是我们所愿放在儿童手里的一本插画的儿歌集。

一九二三年三月。

（《谈龙集》）

图书在版编目(CIP)数据

儿童文学小论/周作人著作;锺叔河编订. —长沙:岳麓书社,2019.1
(2022.7 重印)

ISBN 978-7-5538-0890-1

Ⅰ.①儿… Ⅱ.①周…②锺… Ⅲ.①儿童文学—文学研究—中国
Ⅳ.①I207.8

中国版本图书馆 CIP 数据核字(2018)第 035481 号

ERTONG WENXUE XIAO LUN

儿童文学小论

周作人著作　锺叔河编订

特约编辑:鄢　琨

责任编辑:蒋　浩

责任校对:舒　舍

书籍设计:风格八号

岳麓书社出版发行

地址:湖南省长沙市爱民路 47 号

直销电话:0731-88804152　0731-88885616

邮编:410006

版次:2019 年 1 月第 1 版

印次:2022 年 7 月第 3 次印刷

开本:787mm×1092mm　1/32

印张:3.125

字数:51 千字

印数:7 001—9 000

书号:ISBN 978-7-5538-0890-1

定价:15.00 元

承印:长沙鸿发印务实业有限公司

如有印装质量问题,请与本社印务部联系

电话:0731-88884129